C000049419

Stoll, Otto

Die Sprache der Ixil-Indianer

Stoll, Otto

Die Sprache der Ixil-Indianer

Inktank publishing, 2018

www.inktank-publishing.com

ISBN/EAN: 9783750121348

All rights reserved

This is a reprint of a historical out of copyright text that has been re-manufactured for better reading and printing by our unique software. Inktank publishing retains all rights of this specific copy which is marked with an invisible watermark.

DIE

SPRACHE DER IXIL-INDIANER.

EIN BEITRAG

ZUR

ETHNOLOGIE UND LINGUISTIK

DER MAYA-VÖLKER.

NEBST EINEM ANHANG:

WORTVERZEICHNISSE AUS DEM NORDWESTLICHEN GUATEMALA.

VON

DR. MED. OTTO STOLL,

DOCENT DER GEOGRAPHIE AM EIDGEN. POLYTECHNIKUM UND
AN DER UNIVERSITÄT ZÜRICH.

LEIPZIG:

F. A. BROCKHAUS.

—

1887.

VORWORT.

Die schönen Entdeckungen der letzten Jahre, welche die mittelamerikanische Archäologie den ausdauernden Bemühungen Désiré Charnay's, Alfred Maudslay's und anderer Reisender verdankt, haben auch dem europäischen Gelehrten jene räumlich so fernen Gebiete des Wissens wieder näher gerückt. Je deutlicher sich die Umrisse der einstigen Cultur der Maya-Völker aus den Verwüstungen eines bigoten Vandalenthums wieder abzuheben beginnen, um so bestimmter gestalten sich auch die Fragen, welche sich an jene Culturreste knüpfen. Weniger bestimmt als die Fragen lauten heute noch die Antworten. Schon die allgemeinste und fundamentalste Frage, ob die centralamerikanische Cultur eine autochthone oder exotische gewesen sei, hat bis zur Zeit keine endgültige Erledigung gefunden. Allerdings scheint durch die neuesten Untersuchungen von Wells Williams über das Land Fu-Sang der chinesischen Geographen die alte Ansicht De Guignes' des Aeltern widerlegt zu sein, wonach die Elemente amerikanischer Cultur in der chinesischen wurzeln sollten. Während aber derjenige Reisende, dem unstreitig das umfassendste archäologische Material zu Gebote stand, Herr Désiré Charnay, auf Grund desselben für den asiatischen Ursprung der Maya-Cultur plaidirt, so hat sich erst kürzlich (1883) ein amerikanischer Ethnologe, Herr Horatio Hale, in seinem inhalts-

5

reichen Essay über „Indian Migrations, as evidenced by Language" dahin ausgesprochen, dass nicht ein asiatischer, sondern ein europäischer Ursprung der indianischen Völker und ihrer Cultur der wahrscheinlichere sei. Herr Hale stützt seine Ansicht auf den Umstand, dass das Baskische, ein im Rahmen der europäischen Sprachen gänzlich alleinstehendes Idiom, in hervorragendem Maasse eine incorporirende Sprache ist, also einen Sprachtypus repräsentirt, der in weiter Verbreitung unter den Völkern Amerikas gefunden wird. Er hält es für möglich, dass in alten Zeiten die Ureinwohner Europas, als deren letzten Rest wir nach seiner Ansicht die Basken, oder wenigstens die baskische Sprache zu betrachten haben, von der arischen Einwanderung allmählich küstenwärts gedrängt und endlich zum Theil zu Schiff über das Atlantische Meer getrieben worden seien.

Andere wiederum vermögen an einen asiatischen oder europäischen Ursprung der nicht-hyperboräischen Devölkerungen Amerikas nach dem vorhandenen Material nicht zu glauben, sondern erblicken in gewissen Schädelfunden und Culturresten von hohem Alter und in der Eigenart der amerikanischen Culturherde ausreichende Beweise für die Autochthonie der amerikanischen Menschheit und ihrer Cultur, wenigstens seit der Zeit, da der neuweltliche Doppelcontinent seine jetzigen Umrisse erlangte. Es kann kaum geleugnet werden, dass diese Auffassung der Dinge, zu der ich mich ebenfalls bekennen möchte, mit dem bisjetzt thatsächlich Vorliegenden am besten in Einklang steht und am wenigsten zu gewagten Hypothesen Zuflucht nehmen muss.

Bietet schon die allgemeinere Frage Schwierigkeiten genug, so ist die Untersuchung eines Specialfalles, wie der Ursprung der Maya-Cultur, um nichts leichter. Woher kam sie? War sie den Maya-Indianern eigenthümlich, oder von ihnen entlehnt? Hat sie die Priorität über die aztekische oder lehnt sie sich an diese an? Ragte die Maya-Cultur in ihrer vollsten Blüte noch in die Zeit der Conquista hinein, oder war sie damals schon im Verfall begriffen und weisen die verlassenen Ruinenstädte der Urwälder von Tabasco, Yucatan und Guatemala auf eine noch frühere Culturepoche, vielleicht gar auf eine andere Völkerfamilie hin? In welchem Verhältnisse stehen die Maya-Stämme, welche in nach-Cortesianischer Zeit in den genannten Regionen lebten, zu den Erbauern der Ruinenstädte? Was ist das System und der Inhalt der in Stein gemeisselten und auf Papier gemalten Hieroglyphenschriften? Wie verhalten sich diese zu den heute noch lebenden Maya-Sprachen?

Zu verschiedenen Zeiten und von verschiedenen Gesichtspunkten aus haben einzelne Reisende und Forscher versucht, der Beantwortung dieser Fragen näher zu kommen. Trotzdem müssen sie noch insgesammt als offene bezeichnet werden. Es darf dies kaum befremden, wenn wir bedenken, dass bis in die allerjüngste Zeit auf dem weiten Gebiete der mittelamerikanischen Ethnologie alles den Kräften und Mitteln des einzelnen Reisenden überlassen blieb. Die Mittel, die auf diese Weise ins Spiel kamen, stehen in gar keinem Verhältnisse zu dem, was gelehrte Gesellschaften, Regierungen, reiche Privatleute für systematisch betriebene Forschungen auf ethnologischem und archäologischem Gebiete an zahlreichen Stellen der Alten Welt, ferner in Nordamerika und einigen Punkten von Südamerika geleistet haben und noch leisten. Dies ist um so mehr zu bedauern, als die Kräfte des Einzelnen im Kampfe mit einer gewaltigen Tropennatur, mit unsichern politischen Verhältnissen und mit einem nicht stets leicht zu behandelnden Arbeitermaterial die Grenze ihrer Leistungsfähigkeit hier früher erreichen als an vielen andern Orten.

Im engsten Zusammenhang mit dem Studium der oberwähnten Fragen scheint mir dasjenige der Maya-Sprachen zu stehen. Es ist in der That nicht abzusehen, wie beispielsweise eine Entzifferung der Maya-Glyphen gelingen soll, bevor wir uns in die Psychologie der Maya-Völker, wie sie sich

in der Analyse ihrer Sprachen kundgibt, eingelebt haben.
Bevor wir uns eine wahrscheinliche Ansicht von der Art und
Weise bilden können, wie ein Volk seinen Denkinhalt bild-
lich darstellen wird, muss seine Sprache bis in ihre letzten
Elemente untersucht und klargelegt sein. Das Misglücken der
bisherigen Erklärungsversuche der Maya-Hieroglyphen legt,
trotzdem diese Versuche bereits kostspielige Bände füllen, von
dieser Thatsache beredtes Zeugniss ab.

Um aber eine solche Klarlegung der Psychologie der
Maya-Völker zu ermöglichen, ist es nothwendig, alle die zahlreichen Idiome, aus denen sich die Maya-Sprachfamilie zu-
sammensetzt, zu berücksichtigen. Was in dem einen Idiom
unverständlich und unerklärlich bleibt, mag in einem andern
gefunden werden, vielleicht in einem wenig beachteten, nur
von einer einzigen Dorfschaft gesprochenen Dialekt.

Die nachstehenden Blätter enthalten einen kleinen Beitrag
zur Kenntniss einiger Maya-Sprachen, welche sämmtlich im
Hochlande des nordwestlichen Guatemala gesprochen werden.
Ich beginne mit dem Wenigen, was ich vor einigen Jahren
über die Sprache der Ixil-Indianer von Guatemala im Dorfe
Nebaj aufnehmen konnte. Bisjetzt war die Sprache der
Ixil-Indianer so unbekannt, dass der französische Amerikanist
H. de Charencey im Jahre 1883 schrieb: „Nous ne savons
trop dans quel groupe ranger le Ixil ou Ichil. ... Au reste,
jusqu'à ce que nous possédions quelques documents sur la
langue Ichil, toute conjecture sur la place qui lui doit être
assignée ne saurait être que superflue." [1]

Die besondern Schwierigkeiten, unter denen ich damals
in Nebaj sowol als im benachbarten Aguacatan arbeitete, und
welche in der durch eine schwere Pockenepidemie hervor-
gerufenen Aufregung der exclusiv indianischen und derartigen

---

[1] *H. de Charencey*, Sur les lois phonétiques dans les idiomes de la
famille Mame-Huastèque, p. 83, in: Mélanges de philologie et de paléographie américaines (Paris 1883).

Studien ohnehin feindlich gesinnten Bevölkerung ihren hauptsächlichsten Grund hatten, mögen die Dürftigkeit des nachstehend Gebotenen entschuldigen. Ohne meine vorgängige Kenntniss des Cakchiquel und Quiché wäre es mir nicht einmal möglich gewesen, auch nur dieses Wenige zu erreichen, da die Indianer von Nebaj des Spanischen sehr wenig mächtig sind. Immerhin wird es, wie ich hoffe, genügen, um die nahe Verwandtschaft des Ixil und der Sprache von Aguacatan mit dem Mame darzuthun, und die Vereinigung dieser drei Idiome zu einer Gruppe (der Mame-Gruppe) zu rechtfertigen, welche ich in meiner frühern Schrift: „Zur Ethnographie der Republik Guatemala" (Zürich 1884), vorgeschlagen hatte, ohne damals, bei dem Umfange des Stoffs, die nöthigen Beweise eingehend geben zu können.

In Anschluss an die Sprache der Ixiles bringe ich das Material, welches ich selber in Aguacatan aufgenommen habe. Leider ist dasselbe mangels geeigneter Indianer in jenem verwahrlosten Dorfe so wenig umfangreich, dass ich auf eine grammatikalische Behandlung verzichten und mich begnügen musste, die Aguacateca im Zusammenhange mit einigen Wortverzeichnissen aus dem nördlichsten Grenzgebiete von Guatemala zu bringen, welche ich der Güte meines Freundes Rockstroh verdanke, der sie an Ort und Stelle aufnahm. Ich betrachte diesen Theil meiner Arbeit lediglich als eine vorläufige Mittheilung zur ersten Beurtheilung dieses Gebietes, und beabsichtige, bei meiner nächsten Reise in die Wohnsitze der Maya-Stämme durch neue Aufnahmen an Ort und Stelle die Stellung dieser Sprachen genauer zu fixiren und namentlich das Material zu einer eingehenden Monographie der Mame-Indianer und ihrer für die Kenntniss der Maya-Idiome hochwichtigen Sprache zu sammeln, von welcher ausser der höchst mangelhaften und sicher an vielen Stellen incorrecten Grammatik des Reynoso nichts bekannt ist.

Wenn ich in der vorliegenden Schrift die Nachsicht des Sprachforschers von Fach für manche Schwerfälligkeit der

Darstellung in Anspruch nehmen muss, so hoffe ich diese Mängel dadurch einigermaassen auszugleichen, dass ich nur von den Indianern selbst herrührendes und, mit Ausnahme weniger Worte, durchweg neues Material beibringe. Zum Theil stammt dasselbe aus Gegenden, welche in linguistischer Hinsicht unbekannt waren und überhaupt schwer zugänglich sind, wie sich jeder überzeugen wird, der zu ähnlichen Zwecken jene Districte bereisen will.

Zürich, im December 1886.

Dr. OTTO STOLL.

INHALTSVERZEICHNISS.

11

schlecht zugänglichen Gebirgsgegenden, in denen ihre Dörfer lagen, hatten für die Spanier wenig Anziehendes und luden nicht zur Colonisation ein. Da zudem die Handelsstrasse, welche von Mexico her über *Comitan*, die *Altos Cuchumatanes*, *Sacapulas*, *Zacualpa* nach *Guatemala* (dem heutigen *Antigua*) führte, das Gebiet der Ixiles nicht berührte, so blieben sie auch fernerhin von den neuen Herren des Landes wenig belästigt, und diese liessen es sich, wie anderwärts, auch hier angelegen sein, die vielen kleinen indianischen Ortschaften zu grössern Dörfern zu vereinigen. So wurden in der Sierra von Chajul, auf Verlangen der geistlichen Gründer des dortigen Convento, die Dörfer *Huyl*, *Boob*, *Illon*, *Honcab*, *Chaxá*, *Aguazac*, *Huiz* und noch vier andere verschmolzen. Jedes von diesen Dörfchen war bereits aus verschiedenen Häusergruppen (pueblezuelos) gebildet gewesen. [1] Ebenso wurden die Dörfchen *Numá*, *Chicui*, *Temal*, *Caquilax* und viele andere mit dem Dorfe Cotzal vereinigt, um dadurch die Erhebung der Tribute und die geistliche Administration der Indianer zu erleichtern.

Erst in neuerer Zeit haben die Ixil-Indianer in der Landesgeschichte wieder eine Rolle gespielt. Als nämlich im Jahre 1869 der kürzlich in der Schlacht von *Chalchuapa* gefallene Präsident von Guatemala, Rufino Barrios, als Rebell gegen die damalige Regierung unter dem General Serapio Cruz von Chiapas her in Guatemala eingedrungen war, wurde er nach der für seine Partei unglücklichen Schlacht von *Huehuetenango* (December 1869) flüchtig und hielt sich in den Dörfern der Sierra verborgen, deren indianische Bewohner ihm freundlich gesinnt waren. Bei dieser Gelegenheit [2] retteten ihm sogar die Indianer von Nebaj einmal das Leben.

[1] *García Pelaez*, Memorias para la historia del antiguo reino de Guatemala (Guatemala 1851), I, 171.
[2] Vgl. über diese Episode der Landesgeschichte mein Buch „Guatemala" (Leipzig 1886), S. 315.

1*

Volkszahl. Politisch gehört die Sierra der Ixiles zum heutigen Departement von *Santa Cruz Quiché*. Als im Jahre 1880 die Volkszählung im Umfange der Republik vorgenommen wurde, widersetzten sich die Indianer dieses Departements wie diejenigen von Totonicapam und Huehuetenango derart, dass der Census nicht durchzuführen war. Es ist demgemäss auf Grundlage der wirklich durchgezählten Bevölkerung diejenige dieser drei Departemente berechnet worden, wobei sich für die Ixiles folgende Wahrscheinlichkeitswerthe ergeben haben:

Nebaj . . . . . . 4372 Köpfe,
San Juan Cotzal . . 1913 „
Chajul . . . . . . 2233 „
Summa: 8518 Köpfe.

Die historischen Notizen sowol als die zahlreichen im Lande der Ixiles zerstreuten Ruinen machen es wahrscheinlich, dass die Kopfzahl dieses Stammes zur Zeit der Eroberung eine bedeutendere war als heutzutage.

Ethnologisches. Aus der oben gegebenen Notiz des Juarros lässt sich blos schliessen, dass die Ixiles der vorhistorischen Zeit ein kleines Gebirgsvolk bildeten, das den umwohnenden Völkern der Quichés und Mames an Cultur und Bedeutung nicht gleichkam. Ob aber der Stamm der Ixiles von unabhängigen Häuptlingen regiert wurde und lediglich aus freundnachbarlicher Gesinnung den belagerten Mames zu Hülfe zog, oder ob er in einem Vasallenverhältniss zu den Königen des Mam- oder Quiché-Reiches stand, ist nicht zu ermitteln.

Selbst der Name *Ixil*, von dem Orozco y Berra (S. 24) aus ungenannter Quelle die Synonyme: *Ihil* und *Izil* angibt, ist dunkel, den heutigen Ixiles ist er unbekannt. Keins der alten indianisch geschriebenen Sagenbücher von Guatemala erwähnt die Ixiles. Weder im „*Popol Vuh*", noch in den Annalen der *Cakchiqueles*, noch im „*Título de los Señores de Totonicapan*" findet sich eine Stelle oder ein Ortsname, der

mit Sicherheit auf die Ixiles und ihr Gebiet zu beziehen wäre.
Einzig in dem Drama „*Rabinal Achi*" [1], welches in der Quiché-
Sprache abgefasst ist und einen Kampf des Häuptlings *Queche-
Achi* mit dem Fürsten von *Rabinal* zum Gegenstand hat,
kommt der Ortsname *Chajul* in folgender Stelle vor:
Queche-Achi: ... *In r'oyeualal, in r'achihilal ri ahau ri
Yaqui Cunen, ri Yaqui Chuhul.* [2] Hier nennt sich also eine
der Hauptpersonen des Dramas Fürst von Cunen, welches
heute ein Quiché-Dorf ist, früher aber vielleicht ein Ixil-Dorf
war, und von Chajul, einer noch heute bestehenden Nieder-
lassung der Ixiles.

Es wäre natürlich gewagt, aus so dürftigen Nachrichten,
wie jene Stellen des Juarros und des Rabinal Achi weitgehende
Schlüsse ziehen zu wollen. Immerhin scheint das Verhältniss
der Ixiles zu den Mames ein freundlicheres gewesen zu sein
als zu den Quichés, zu denen der Stamm von Rabinal ge-
hörte. Es wird dies auch durch die Sprache der Ixiles nahe
gelegt, welche dem Mame weit näher verwandt ist als dem
Quiché, was zu zeigen die Aufgabe dieser Blätter sein soll.

Gegenwärtig leben die Ixiles der Sierra, soviel ich wahr-
nehmen konnte, hauptsächlich vom Ackerbau, indem sie die
flachen Hochthäler zwischen den Ausläufern der Sierra Madre,
mit den gewöhnlichen indianischen Culturpflanzen, Mais und
Frijol, bestellen. Ob sie sich in grösserm Maassstabe an der
Schafzucht und Fabrikation wollener Zeuge betheiligen, wie
die Cakchiquel-, Mam- und Quiché-Indianer der benachbarten
Altosgegenden, sah ich nicht. Mit ihren Producten handeln
sie auch nach Huehuetenango, Aguacatan und Sacapulas
hinüber, weshalb viele von ihnen der Quiché-Sprache mächtig

---

[1] Rabinal-Achi ou le Drame-ballet du Tun, par M. Brasseur de
Bourbourg (Paris 1862), S. 34.
[2] Ich bin der streitbare und mannhafte König (wörtlich die Streit-
barkeit und Mannheit des Königs) der Krieger von Cunen, der Krieger
von Chajul.

sind, die in diesen Gegenden als allgemeine Verkehrssprache
dient.

Was die Tracht der Ixiles von Nebaj betrifft, so tragen
die Männer weite, bis über die Knie herunterreichende Bein-
kleider *(cuex)* aus dunkelbraunem Wollzeug, welche durch
einen Leibgurt festgehalten werden. Den Oberkörper deckt
über dem Baumwollhemde ein Rock *(cotonchi)* aus braunem
Wolltuch, an welchem lange Schulterklappen besonders auf-
fallend sind. Der Kopf ist unter dem schwarzbraunen Strohhut gewöhnlich mit einem Taschentuch umwickelt. Bei kaltem Wetter hüllen sie sich in einen langen braunen Woll-
tuchmantel, dessen Ende sie meist über die linke Schulter
schlagen. An den nackten Füssen werden höchstens die Caites
(Ledersandalen) getragen. Das Haar wird geschoren.

Die Weiber tragen die gewöhnliche Tracht der guatemaltekischen Indianerinnen: einen blauen Rock *(chic)*, bestehend
aus einem einfachen breiten Tuchstreif, den sie um den Leib
wickeln und welcher ihnen bis unter die Knie reicht. Der
Oberleib steckt im Huipil, einem weitärmeligen Baumwollhemde,
den sie *colich* nennen. Bei kaltem Wetter wird ausserdem
noch ein ponchoartiger Ueberwurf aus Baumwollzeug gebraucht,
der wie der Huipil mit farbigen Broderien geschmückt ist.
In der Mitte hat derselbe ein rundes Loch, durch welches der
Kopf, häufig aber auch blos das Gesicht gesteckt wird. Man
sieht ihn in verschiedener Form allgemein in den Dörfern der
Tierra fria getragen. Das Haar wird in einen Zopf geflochten
und rund um den Hinterkopf geschlungen.

Von den alten, nichtspanischen Sitten der Ixiles konnte
ich bei meinem Besuche (Mai 1883) in Nebaj nichts erfahren,
da der Pfarrer, der einzige Ladino daselbst, selber erst seit
wenigen Wochen dort lebte und der Sprache der Indianer
nicht mächtig war. Mit den Indianern selbst aber wollte ich
mit diesen Dingen, über welche sie ohnehin nur höchst un-
gern Auskunft geben, keine Zeit verlieren, da mein Haupt-
augenmerk auf die Sprache gerichtet war.

Verwandtschaft der Ixil-Sprache. Diejenigen Sprachen der Maya-Familie, mit welchen das Ixil am nächsten verwandt ist, sind die auch geographisch benachbarten der *Mames* und der Indianer von *Aguacatan*. In der That bilden diese drei Idiome — wenn man anders die Aguacateca als selbständige Sprache gelten lassen will —, eine geschlossene Gruppe gegenüber den andern Maya-Sprachen Guatemalas. Es lässt sich diese enge Verwandtschaft des Ixil, des Mame und der Aguacateca, ausser der wurzelhaften Identität vieler ihrer Worte in allen dreien, am leichtesten durch die gesetzmässige Lautsubstitution darthun, welcher in diesen Sprachen gewisse Consonanten einiger, auch andern Maya-Sprachen gemeinsamer, Radikale unterliegen. Die nachstehende kleine Zusammenstellung einiger Worte in der Maya, den drei Sprachen der Mame-Gruppe und im Quiché möge zur Illustration des Gesagten dienen. Die häufigsten Fälle der Lautsubstitution sind die folgenden:

1) Ein *n* der Maya wird oft zu *j* in den Mame- und Quiché-Sprachen.

2) Einem *t* der Maya und *ch* der Quiché-Sprachen entspricht häufig ein *tz* der Mame-Sprachen.

Ad 1)	*Maya*	*Mame, Aguacateca, Ixil*	*Quiché*
Sonne	*kin*	*k'ij*	*k'ij*
Aguacate-Frucht	*on*	*oj*	*oj*
Schweif	*ne*	*je*	*je*

Ad 2)			
Haus	*otoch*	*otzotz*	*ochoch*
Baum	*te*	*tze*	*che*
Asche	*taan*	*tza*	*chaj*

Ferner geht die engere Verwandtschaft der Sprachen der Mame-Gruppe unter sich daraus hervor, dass ihnen für eine Anzahl allgemein verbreiteter und zweifellos uralter Begriffe

Ausdrücke gemeinsam sind, für welche in den andern Gruppen der Maya-Familie ein ganz verschiedenes Wurzelwort üblich ist. Nicht minder deutlich wird sich die enge Verwandtschaft der drei von mir zur Mame-Gruppe gerechneten Sprachen aus der Grammatik ergeben.

II. GRAMMATIK DER IXIL-SPRACHE.

PHONOLOGIE.

Das Ixil theilt im grossen und ganzen die phonetischen Eigenthümlichkeiten der Maya-Sprachen überhaupt, namentlich auch das Vorkommen der sogenannten „Letras heridas".

Es unterscheidet sich von den Sprachen der Quiché- und Pokonchí-Gruppe vornehmlich durch die Seltenheit des r, wodurch es auch den Maya-Sprachen der anstossenden mexicanischen Gebiete, den Tzental-Sprachen und der reinen Maya, näher gerückt wird. In der Aussprache einiger Laute weist das Ixil gewisse Besonderheiten auf, welche specielleres Eingehen nothwendig machen, da eine möglichst genaue Kenntniss der Lautverhältnisse einer Sprache die einzig sichere Basis für etymologische Forschungen bildet.

VOCALE.

Es sind fünf einfache Vocale im Gebrauch, nämlich a, e, i, o, u. Sie sind in der Mehrzahl der Fälle kurz, sodass lange Vocale eine seltene Ausnahme bilden.

ā ă lautet wie im deutschen: Vater, Fass.
ē ĕ „ „ „ „ Beere, Bett.
ī ĭ „ „ „ „ bieten, Bitte.
ō ŏ „ „ „ „ Ofen, offen.
ū ŭ „ „ „ „ Russ, Russe.

Bemerkung. In einigen Fällen ist die Aussprache gerade der Kürze der Vocale wegen, unklar oder schwankend. Ich finde z. B. in meinen Aufzeichnungen *mul* und *mol*, zusammenhäufen, *epa* und *ipa*, stossen, u. s. w.

Zwei Vocale können auch als Diphthonge zusammentreten, und zwar in folgenden Combinationen:

a und *i* = *ay*, z. B. *tzimay*, die Culebasse.
a ,, *u* = *au*, ,, ,, *pau*, die Sünde.
i ,, *a* = *ya*, ,, ,, *coxcbya*, niedergelegt.
e ,, *a* = *ea*, ,, ,, *alikea*, oben.
e ,, *i* = *ey*, ,, ,, *bey*, der Weg.
e ,, *u* = *eu*, ,, ,, *cheu*, kalt, Kälte.
i ,, *e* = *ye*, ,, ,, *yexcam*, nichts.
i ,, *i* = *yi*, ,, ,, *yiyiya*, gewachsen.
i ,, *o* = *yo*, ,, ,, *yol*, das Wort.
i ,, *u* = *yu*, ,, ,, *yujbin*, ich springe, hüpfe.
o ,, *i* = *oy*, ,, ,, *c'oy*, der Affe.

Ferner werden nach einem *v* die Vocale *a*, *e*, *i*, *o*, *u* so gesprochen, als wäre das *v* mit den Diphthongen *ua*, *ue*, *ui*, *uo* verbunden; z. B. *vuatz*, das Gesicht, *vuetz*, für mich, *vuitz*, der Berg, *vuocsam*, mein Kleid.

Dagegen werden in den Vocalverbindungen *aa*, *ao*, *ae*, *oo*, *uu* die beiden Vocale durch ein leichtes Absetzen in der Aussprache getrennt; z. B. *tzaa* = *tza-a*, die Asche, *xaom* = *xa-om*, gross, *muex* = *ma-ex*, ihr, *coon* = *co-on*, lasst uns gehen, *uu* = *u-u*, Papier.

Die Nasalirung von Vocalen findet sich im Ixil ausschliesslich beim *u* mit nachfolgendem *n* vor, wenn es in dieser Verbindung vor der Labiodentalen *v* und den Gutturalen *k* und *k'* zu stehen kommt, seltener im Auslaut (siehe *n*).

CONSONANTEN.

Es kommen im Ixil 21, in der Aussprache deutlich zu
unterscheidende, Consonanten vor, die sich wie folgt grup-
piren lassen[1]:

	Explosiv-laute.	Fricativ-laute.	Zitter-laute.	l-Laute.	Reso-nanz-laute.
Vordere faucale .		h			
Vordere \ guttu-	c. c˙	j			
Hintere / rale .	k k˙				
Palatale . . .	ch ch˙	x			
Linguale . . .	tz tz˙				
Palato-dentale .		y			
Dentale (cacum.)	t	s	r	l	n
Labio-dentale .		v			
Labiale	b, p				m

h   lautet wie im Deutschen: Buch; z. B. *baluch*, der Schwager.
    Vor nasaliertem *un* wird es leicht zu *v* abgeschwächt,
    speciell vor dem Pron. poss. der 1. Pers. Sing. *ung*, z. B.
    ung-bal-aj und *ung-vual-aj*, meine Maishülle.

c   ist nicht aspirirt und entspricht dem *c* der romanischen
    Sprachen vor *a, o* und *u*, nicht aber dem deutschen *k*.

c˙ ist die Letra herida des *c*, das *Cuatrillo* des Cakchiquel-
    Alphabets von Parra. Es klingt wie ein verschärftes und
    durch eine kleine Pause vom vorhergehenden oder folgen-
    den Vocale getrenntes *c*; z. B. *c'a*, der Floh, *i'ch*, der
    Mond.

ch lautet wie im Spanischen oder wie *tsch* im Deutschen.

---

[1] Nach dem von Prof. Friedr. Müller in seiner „Einleitung in die
Sprachwissenschaft" (Wien 1876), I, 1, S. 149, gegebenen Schema.

ch' ist die Letra berida von *ch* und klingt wie ein verschärftes und vom vorhergehenden und nachfolgenden getrenntes *ch*; z. B. *ch'i'ch*, das Eisen.

Bemerkung. Ich bin im Zweifel, ob nicht der Laut ch' in zwei gesonderte Laute, einen harten und einen weichen, zu zerfällen sei. Der harte würde etwa dem *ci*, der weiche dem *gi* der italienischen Sprache entsprechen, beide aber wären gleichwol als Letras beridas zu betrachten. Hart klingt es z. B. in *ch'i*, der Hund, *ch'o*, klein; weich in *ch'one*, krank sein (wie dschyone), und in *boch'e*, zusammenfalten. Bei der Unmöglichkeit, für das Vorkommen des einen oder andern Lautes aus dem vorliegenden Material eine Regel zu abstrahiren und bei dem Schwanken der Lautnotirung[1] in einigen von mir mehrfach aufgenommenen Wörtern hielt ich es für richtiger, die Trennung des harten und weichen *ch'* nicht vorzunehmen, sondern im Wörterbuch speciell darauf hinzuweisen, wo in einem Wort ein weiches *ch'* notirt wurde. Letzteres macht den vorausgehenden Vocal stets kurz.

d   fehlt.

f   fehlt.

g   fehlt ebenfalls, obwol gelegentlich das *c* derart abgeschwächt werden kann, dass es wie *g* klingt und auch als solches von mir notirt wurde; z. B. *urue gachyon*, er biss. Die Analogie mit andern Verben zeigt, dass es sich hier blos um eine Abschwächung von *cat* handelt und dass die volle Form *urue catchyon* wäre.

---

[1] Um mir mit diesem Geständniss nicht den Vorwurf der Flüchtigkeit und Oberflächlichkeit zuzuziehen, verweise ich den Leser auf den interessanten Aufsatz des amerikanischen Linguisten Horatio Hale („On some doubtful or intermediate articulations: an experiment in phonetics", London 1885), wo zwei geübte Indianisten (Hale selbst und Prof. Bell) die von einem Iroquois-Indianer vorgesprochenen Worte gleichzeitig notirten und dennoch Differenzen einzelner Laute in ihren Aufzeichnungen fanden.

h klingt wie ein stark aspirirtes *h*, welches aus deutsche *ch* (in Buch) austreift und zwischen dem gewöhnlichen deutschen *h* in Haus und *Ch* in Chor zwischen innesteht; z. B. *hub*, das Blasrohr, *heelel*, der Arm voll. Es klingt ferner in vielen, anscheinend vocalisch auslautenden Worten leise nach; z. B. in *o(h)*, die Aguacate-Frucht, *puu(h)*, das Silber. Es fehlt in dieser Deutlichkeit und Ausbildung den Sprachen der Quiché-Gruppe, ist jedoch in den Pokonchi-Sprachen ebenfalls vorhanden.

j klingt etwas rauher als *ch* im deutschen hoch und stimmt mit dem spanischen *j* in *Jorje* überein; z. B. *jul*, das Loch, die Höhle.

k entspricht dem harten *k* einiger alemannischer Dialekte, vor allem des zürcherischen in kein, Kamel u. s. w.; z. B. *kose*, schlagen. Im ganzen ist dieses rauhe *k* im Ixil viel weniger häufig als in den Quiché- und Pokonchi-Sprachen und viel seltener als *c*, *c'* und *k'*.

k' ist ein den europäischen Sprachen fehlender Laut, nämlich ein tief im Gaumen als Letra herida gesprochenes und daher leicht zu überhörendes *k*, das *Tresillo* der Cakchiquel-Grammatiker Parra und Flores; z. B. *ak'on*, Arbeit.

l lautet wie im Deutschen, in einigen Worten klingt es wie ein deutsches ll; z. B. *culla*, antreffen.

m wie im Deutschen.

n wie im Deutschen. Hinter *u* wird es vor *v* und den Gutturalen nasalirt und klingt alsdann wie die deutsche Endung -*ung*; z. B. in *ung-vuatz*, mein Gesicht, *ung-k'ab*, meine Hand. Vor Labialen (*b*, *p*) schlägt es dagegen in *m* um; z. B. *um-bal*, mein Vater, statt *un-bal*.

p wie im Deutschen, aber ohne Aspiration. Im Auslaut wird *b* häufig zu *p* verstärkt; z. B. *sip*, der Rauch, aber *sibil a*, der Wasserdampf.

qu entspricht vor *e* und *i* genau dem *c* vor *a*, *o* und *u*, und hätte, wie dies bei den Maya-Drucken gebräuchlich ist,

durch dieses ersetzt werden können. Ich behielt es für
das Ixil bei, weil es für die bisjetzt gedruckten Maya-
Grammatiken Guatemalas von deren Verfassern beibehalten wurde, so von Flores für das Cakchiquel, von Brasseur (Ximenez) für das Quiché, von Gage für das Pokomam.[1]

r   ist im Ixil höcht selten. Ich habe blos fünf Worte notirt, in denen *r* vorkommt. nämlich: *rip*, der Frosch,
xcarat, die Kröte, *coroj cum*, eine wilde Taubenart,
k'abarel, betrunken und *xoral*, die Wohnstätte (sitio).
Es wird noch zu untersuchen sein, inwieweit es sich bei
diesen um Lehnworte aus den Nachbarsprachen handelt.
Xoral kommt in dieser Form im Pokonchi und als *xolal*
(vom Stamm *xol*, der innere Raum) im Cakchiquel vor.
Ebenso ist *k'abarel* ein den Maya-Sprachen Guatemalas
gemeinsames Wort. Die übrigen dagegen sind mir aus
andern Sprachen nicht bekannt.

t   wie in den romanischen Sprachen, also ohne die dem deutschen *t* gewöhnlich inhärirende Aspiration.

Eine Letra herida des gewöhnlichen *t*, wie eine solche
in der reinen Maya vorkommt, fiel mir im Ixil nicht auf.

v   wie in den romanischen Sprachen. Vgl. das am Schlusse
der Vocale (S. 9) Gesagte.

x   hat den Laut des deutschen *sch* in schiessen, des englischen *sh* in *shining*. Einen Unterschied zwischen hartem
und weichem *x* habe ich nicht bemerkt.

tz   wie das deutsche *tz* in Schütze.

tz'   ist die Letra herida von *tz*. Es findet hierbei ein ähn-
liches Verhältniss statt wie das oben für *ch'* erörterte.

---

[1] Die Grammatik des Reynoso für das Mame, die dem Ixil nächst-
verwandte Sprache besitze ich nur in Pimentel's Auszug (1. Aufl.). Da
qu fehlt darin, indessen ist Pimentel so wenig genau und zuverlässig
in seinen phonologischen Angaben, dass ich hierin um so weniger Grund
hatte ihm zu folgen, als in meinen Manuscriptvocabularien des Mame
das *qu* gebraucht ist.

indem es scheint, dass ein hartes *tz'* und ein weiches *dz'*
vorkommt.

Bemerkung. Sprachforscher von Fach mögen es rügen,
dass der nachstehenden Arbeit nicht ein allgemeines Alphabet
zu Grunde gelegt wurde. Indessen schliesst die Anwendung
eines solchen Missverständnisse doch nicht aus. So ist z. B.
in Prof. F. Müller's classischem „Grundriss der Sprachwissenschaft", welchen der bekannte amerikanische Ethnologe Horatio
Hale „den grossen Thesaurus für Sprachforschung und Analyse" nennt, in der Darstellung der Nahuatl-Sprache das *qu*
der alten spanischen Grammatiker nach seinem Lautwerth
irrthümlich aufgefasst und daher unrichtig transscribirt worden.
Vor *a*, *o* und *u* lautet es nämlich wie *kw*; z. B. *qualli*, gut,
sprich *kwali* (im „Grundriss" irrthümlich durch *kali* wiedergegeben), *qua*, essen, müsste *kwa* transscribirt sein u. s. w.
Dagegen lautet *qu* vor *e* und *i* wie *k*, und statt *tekwi*, pflücken,
muss es daher *teki* heissen. Ferner sind das *k* des Quiché
(in *lokoj*) und das *c* des Nahuatl (in *calli*, Haus) zwei sehr
verschiedene Laute, während sie im „Grundriss" beide durch
k wiedergegeben sind.

Diese Erwägungen veranlassten mich, nach Möglichkeit
die spanische Orthographie beizubehalten, welche ohnehin
jedem geläufig ist, der sich mit mittelamerikanischer Linguistik
beschäftigt, und nach welcher auch die bisher vorhandenen
Originalarbeiten abgefasst sind.

Anlaut, Auslaut und Inlaut.

Der Anlaut kann aus jedem Laute des Ixil-Alphabets
bestehen und ist in der Regel einfach. Eine Ausnahme hiervon machen nur die Consonanten *s* und *x*, welche in den Verbindungen *sc*, *sk*, *sk'*, *st*, *sv* und *xc*, *xj*, *xv* im Anlaute vorkommen.

Der Auslaut ist stets einfach. Unter den Vocalen kommt

u und *e*, unter den Consonanten *l* und *n* am häufigsten als Auslaut vor.

Dass im Inlaute der Hiatus für die Vocalverbindungen *aa*, *ae*, *ea*, *oo* gestattet sei, wurde bereits bei den Vocalen erwähnt. Es bildet die Häufigkeit solcher im Innern von Wortstämmen sich findenden Vocalverbindungen einen hervorragenden Zug der Maya-Sprachen überhaupt, obwol bemerkt werden muss, dass dieser Hiatus in der Aussprache des Ixil weit weniger augenfällig ist als in der reinen Maya- und in den Quiché-Sprachen. Nicht selten trifft im Inlaute ein Diphthong mit dem Vocal der Ableitungssilbe zusammen, ohne dass dies jedoch Hiatus zur Folge hätte; z. B. *cajayil*, alle, *yiyiya*, gewachsen u. s. w.

Bezüglich der Consonanten im Inlaute gilt als Regel, dass ein einfacher Consonant zwei Vocale trennt. Doch gibt es von dieser Regel Ausnahmen, die sich auf zwei Fälle zu reduciren scheinen:

1) **Häufung** von Consonanten im Inlaute entsteht meist durch **Elision** von Vocalen. Dies lässt sich an den betreffenden Vorkommnissen theils aus dem Ixil selbst, theils auch aus den andern Maya-Sprachen nachweisen; z. B.:

für *ls*. Beispiel: *elsa*, Verb. compuls. vom Stamme *el*, hinausgehen. Im Cakchiquel vollständiger als *elesaj* erhalten. (Vgl. Tzotzil: *elez*.)

für *mn*. Beispiel: *camnia*, gestorben, vom Stamme *cam*, für *caminia* (Cakchiquel: *caminak*).

für *tz'm*. Beispiel: *atz'milia*, gesalzen, vom Stamme *atz'am*, für *atz'amilia* (Cakchiquel: *atz'amir*, gesalzen sein).

für *lb*. Beispiel: *yolbal*, die Sprache, vom Stamme *yol*, für *yolobal* (vgl. die Form *ma nayolone*, du plauderst).

für *tz'l*. Beispiel: *yatz'ba*, tödte, vom Stamme *yatz'*, für *yatz'e-ba* (vgl. die Form *yatz'onal*, der Schlächter, *majla yatz'e*, du tödtest u. s. w.).

für *lk'*. Beispiel: *elk'on*, der Dieb, vom Stamme *elk'*. Im Cakchiquel vollständig als *elek'on* erhalten.

2) Eine weitere Reihe von Consonantenhäufungen im Inlaut ist auf Verbal-Incorporation und Zusammensetzung zurückzuführen. Dahin gehört beispielsweise die Combination *nb* in *buk'inba*, reisse (es) mir aus. vom Stamme *buk'*; *in* ist das Pron. pers. 1. Pers. Sing. und *-ba* ist der Imperativsuffix der activen Zeitwörter. Dahin gehört ferner die Verbindung *ns* in *nicunsa*, ich begehre, will, *nic* ist das (bisjetzt nicht weiter analysirbare) Verbal-Präfix des Durativs (1. Pers. Sing. und Plur.), *un* ist das incorporirte Pron. poss. der 1. Pers. Sing. und *sa* ein Verbalstamm mit der Bedeutung „wollen, begehren, beabsichtigen", dann auch „lieben".

Zu dieser Kategorie gehören auch, soweit ich sehe, ohne Ausnahme diejenigen Fälle, wo sich drei Consonanten im Inlaute häufen; z. B. *lst* in *vualste*, ich sage es ihm. In diesem *vu-al-ste* ist *v* das Pron. poss. der 1. Pers. Sing., *al*, der Verbalstamm, reden, und *s-t-e* ein polysynthetisches Suffix, das die Dativbeziehung des Pron. person. 3. Pers. Sing. darstellt.

Fälle von Consonantenhäufung in einfachen Compositionen zweier Nominalstämme zu einem Worte sind selten; dahin gehört z. B. *k'an-cau*, der Blitz, *k'an*, gelb, *caj-chuc*, der Scorpion. Aber schon hier geht das Adjectiv *caj* (roth) zuweilen eine engere Verbindung mit dem Stamme *chu'c* ein, verliert gelegentlich das *j* und verschmilzt zu *ca-chu'c*.

Bemerkung. Es wird in solchen Fällen bei noch ungeschriebenen Sprachen stets einer gewissen Willkür überlassen bleiben, ob man Formen, wie *saj-patz*, der Hagel (Cakchiquel *sak-boch*), *suj-u'k*, die Laus, *caj-is*, der (rothe) Camote, als ein Wort oder getrennt schreiben will. Für den Indianer aber bilden sie zweifellos ein einziges Wort. Es geht dies aus der Leichtigkeit, mit welcher in der Aussprache das *j* ausfällt, sowie aus der Art und Weise, wie solche Zusammensetzungen im Satze behandelt werden, deutlich hervor.

ACCENT.

Der Accent scheint im Ixil nicht, wie im Cakchiquel, an feste Regeln gebunden, sondern so beweglich zu sein, dass er weit mehr Satzaccent als Wortaccent ist. Es wird daher unmöglich, allgemeine Regeln aufzustellen.

Seine gewöhnliche Stelle ist bei mehrsilbigen Wörtern auf der vorletzten Silbe; z. B. *séte*, gestern, *cúbal*, Haus, *ótzotz*, Rancho, *báne*, machen.

Bei einsilbigen Stämmen, die mit einem Pron. poss. verbunden sind, wird er in der Regel auf das Pronomen zurückgezogen; z. B. *á-ch'i*, dein Hund, *ing-ruatz*, mein Gesicht.

Er kann selbst auf die Antepenultima zurücktreten. In diesem Falle befinden sich namentlich gewisse Verbalformen; z. B. *jupélvuete*, geschlossen, *sajbísaba*, bleiche! u. s. w.

In den mehrsilbigen, durch Verbalincorporation entstandenen Formen können zwei Accente, ein primärer, dem Stamme angehöriger, und ein secundärer, der jeweiligen Penultima zukommender, auftreten. So z. B. in *cú-molo-k-íb-ba*, begleite mich (wörtlich: wir wollen uns begleiten), zusammengesetzt aus *cu*. Pron. poss. der 1. Pers. pl., dem erweiterten Verbalstamm *molo*, dem Pron. refl. der 1. Pers. pl. *k-íb*, und dem Imperativ-Suffix *-ba*.

SPRACHWURZELN.

Bei einer beträchtlichen Anzahl von Wortformen des Ixil gelingt es, gewisse, meist aus einem Vocal oder aus der Verbindung eines solchen mit einem oder zwei Consonanten bestehende, Elemente auszusondern, die man als Wurzeln bezeichnen kann und die zum weitaus grössten Theile einsilbig sind.

Um aber eine derartige Studie nutzbringend durchzuführen, müsste sie nothwendigerweise eine vergleichende sein, d. h. sämmtliche Maya-Sprachen umfassen, was zur Zeit nicht

thunlich ist. Immerhin lässt sich schon beim gegenwärtigen
Zustand unserer Kenntnisse einiges hierauf Bezügliche erkennen. Es zeigt sich nämlich Folgendes:

1) Innerhalb einer und derselben Sprache kann
derselbe Lautcomplex für mehrere verschiedene Begriffskategorien die Wurzel bilden.

So bildet im Ixil der Complex *al*, der nicht einmal hinsichtlich der Quantität weitere Unterschiede zeigt, die Wurzel
für drei Wortreihen, denen die verschiedenen Begriffe von
„schwer", von „Kind", von „sprechen" zu Grunde liegen.
Während die gleiche Wurzel für dieselben drei Begriffe auch
in der Maya von Yucatan den Ausgangspunkt bildet, fehlt für
diese Wurzel *al* der Begriff „sprechen" in den Sprachen der
Quiché-Gruppe vollständig und wird anderweitig ersetzt, während die Begriffe von „schwer" und „Kind" auch hier erhalten sind.

2) Derselbe Lautcomplex kann in den Sprachen
verschiedener Gruppen verschiedenen Grundbegriff
besitzen.

So liegen der Wurzel *ban* in den Sprachen der Mame-
Gruppe (Ixil, Mame, Aguacateca) die zwei Begriffe „machen"
und „schön, gut, gesund" zu Grunde. In den Sprachen der
Quiché-Gruppe hat sie ausschliesslich den Begriff „machen",
während in der Maya von Yucatan der Wurzel *ban* der Begriff des Voneinanderreissens, Umstürzens, Ausstreuens innewohnt.

3) Auch in Wurzeln, welche in verschiedenen
Sprachgruppen offenbar identisch sind, zeigen die
einzelnen Lautelemente eine gewisse Beweglichkeit,
welche bei den Vocalen unregelmässig, bei den Consonanten jedoch an gewisse Gesetze der Lautsubstitution gebunden erscheint.

So lautet die Wurzel *cam*, welche in den Sprachen der
Mame-, Quiché- und Pokonchí-Gruppe den Begriff des „Ster-
bens" ausdrückt, in der Maya *cim* (*quim* nach dem hier ein-

gehaltenen Alphabet). *Uich* (*vuich*, das Gesicht) der Maya wird zu *vuach* in den Quiché-Sprachen, *miz* (*mis*, die Katze) der Maya wird *mes* in den Quiché-Sprachen, dagegen entspricht das *itz* (der böse, verderbliche Zauber) der letztern dem *ez* der Maya.

Weit regelmässiger erfolgt die Lautsubstitution in den identischen Wurzeln verschiedener Sprachgruppen für gewisse Consonanten, und gerade sie ist es, welche das augenfälligste, obwol nicht ausschliessliche Merkmal für die Zerfällung der sprachenreichen Maya-Familie in kleinere Gruppen abgibt, (vgl. oben S. 7), wie ich sie in meiner ersten, vorläufigen Uebersicht über die Sprachen von Guatemala versuchte.[1] Eine allgemeinere Würdigung dieser gesetzmässigen Lautsubstitution kann erst vorgenommen werden, wenn eine grössere Anzahl der Maya-Sprachen bearbeitet sein wird.

Die Frage, ob solche Ausdrücke, welche von Idiom zu Idiom mit regelmässig variirenden Consonanten erscheinen, wirklich als Wurzeln zu betrachten sind, oder ob sie bereits polysynthetische Composita bilden, lässt sich heute nur mit Wahrscheinlichkeit dahin beantworten, dass es sich dabei doch wol um echte Wurzeln handelt, in denen jedoch ein integrirender Bestandtheil, eben die erwähnten Consonanten, beim Auseinandergeben der Maya-Sprachen beweglich und veränderlich gewesen ist.

WORTBILDUNG.

In sehr vielen Fällen ist in der nicht weiter zerlegbaren Wurzel auch schon das Wort gegeben; z. B. *mu*, Schatten, *nim*, gross. In andern Fällen, wozu hauptsächlich eine grosse Anzahl von Verbalwurzeln zu rechnen ist, bedarf die Wurzel einer Erweiterung zu einem Stamme, um in Wortbildungen eintreten zu können. Diese Erweiterung der Wurzel zum

---

[1] Vgl. auch mein Buch „Guatemala", S. 300.

2 *

Stamme findet in der Mehrzahl der Fälle durch Suffigirung der nöthigen Elemente an die Wurzel statt. So wird z. B. das Wurzelwort *saj*, welches „weiss, klar, hell, durchsichtig" bedeutet, durch das Passivsuffix *bi* zum Stamme *saj-bi* erweitert, der für sich „weiss werden" bedeutet und für eine Reihe von abgeleiteten Wortbildungen den Ausgangspunkt bildet; z. B. *saj-bi-sa*, weiss machen, *saj-bi-ya*, weiss geworden u. s. w.

Wo die Wortbildung auch durch Präfixe geschieht, sind diese fast ausschliesslich die ins Wort einbezogenen Pron. possessiva, was bei den vocalisch anlautenden Verbalstämmen und Substantiven besonders deutlich hervortritt; z. B. *cat vuila (vu-ila)*, ich sah; *vuotzotz (vu-otzotz)*, mein Haus.

Ausser diesen Fällen gehören hierher eine Anzahl von Worten, die eigentlich Composita sind, deren erster Bestandtheil jedoch zuweilen durch Lautelision enger mit dem zweiten verschmolzen ist. So z. B.: *sa-cab*, die Kreide, weisse Erde, aus *saj-cab* („weisse Süssigkeit", da eine weisse Erdart den Indianern als Gewürz dient), *ca-chu'c*, der Scorpion, aus *caj-chu'c*. Ferner alle Composita, deren erster Bestandtheil die Silbe *aj* oder *ij* bildet, welche die Person bezeichnet, die die Thätigkeit des Stammwortes ausübt; z. B. *ajhub*, der Schleuderer, Blasrohrschütze *(aj-hub)*; *ajtzum*, der Gerber *(aj-tzum)*; *acun*, der Arzt *(aj-cun)*; *ats'isol*, der Schneider *(aj-tz'isol)*; *ats'ac*, der Maler *(aj-tz'ac)*.

DAS NOMEN.

Bei nicht abgeleiteten, wurzelhaften Nomina unterscheidet das Ixil formell nicht zwischen adjectivischem und substantivischem Nomen.

Dagegen gibt es gewisse Suffixe, welche einem abgeleiteten Nomen stets entweder adjectivische oder substantivische Qualität verleihen.

1. VORBEMERKUNGEN.

Topographie des Ixil-Gebietes. Die Ixil-Indianer sind gegenwärtig auf drei Dörfer des nördlichen Guatemala beschränkt, nämlich auf *Nebaj. Cotzal* und *Chajul*, die sämmtlich in wenigen Stunden Entfernung voneinander gelegen sind. Die Distanz von *Nebaj*, dem südlichsten, nach *Chajul*, dem nördlichsten Ixil-Dorf, wird auf zehn Leguas geschätzt, zwischen beiden steht Cotzal. Das Gesammtgebiet der Ixiles liegt in jenem grossen Bogen, in welchem der Rio Negro aus einer westöstlichen Richtung in eine nördliche umbiegt, um durch die wenig bekannten Waldgebiete der *Lacandones* die Tiefländer des *Rio Usumacinta* zu gewinnen. Es gehören die Hochthäler und Berge der Ixiles zu dem Hochgebirgssystem, welches man in Guatemala als *Sierra Madre* bezeichnet, das aber noch genauerer Erforschung harrt. Ihre Dörfer heissen daher auch die *Pueblos de la Sierra* und gehören der ausgesprochenen „Tierra fria" an. Sie bilden eines der abgeschlossensten Gebiete der Republik, in welches von allen Seiten nur durch steilen Anstieg zu gelangen ist.

Geschichtliches. Die historischen Nachrichten über die Ixiles sind äusserst dürftig und bleiben weit hinter demjenigen zurück, was wir von andern guatemaltekischen Stämmen wissen.

Die Ixil-Indianer treten in der Geschichte der Eroberung von Guatemala zum ersten mal bei Anlass des Feldzugs von

Gonzalo de Alvarado gegen die Hauptstadt der *Mam*-Indianer auf. Während nämlich der spanische Feldherr den Mam-König *Caibil-Balam* belagerte, der sich in einer ausserhalb seiner Stadt *Sakuleu* gelegenen Festung verschanzt hatte, kam von den Gebirgen der „Sierra" herab eine Schar von 8000 Ixil-Indianern zum Entsatze der Belagerten. Sie waren nackt, ohne den bei andern Indianern gebräuchlichen Federschmuck, und hatten ihre Leiber mit phantastischen Figuren roth bemalt.[1] Mit wilder Tapferkeit warfen sie sich in wiederholtem Angriff auf die Spanier, aber die Reiterei und die Büchsenschützen richteten unter den nackten Kriegern ein entsetzliches Blutbad an und zwangen sie zum Rückzug, da die in der belagerten Festung eingeschlossenen Mames ihnen nicht zu Hülfe kommen konnten.

Fünf Jahre später (1530) unternahmen die Spanier unter Francisco de Castellanos einen Feldzug gegen den Häuptling von *Uzpantlan*, welcher noch unabhängig war, da er einen frühern Angriff siegreich zurückgeschlagen hatte. Statt aber vom Gebiete der bereits unterjochten Quiché-Indianer aus gegen Uzpantlan vorzugehen, machten die Spanier einen Umweg und drangen in die Hochgebirge der *Ixiles* ein. Sie zogen gegen *Nebaj*, welches befestigt war, und nahmen es nach blutigen Gefechten, indem die indianischen Hülfstruppen der Spanier das Dorf in Brand steckten. Ebenso wurde *Chajul* genommen und von da aus erst rückten die Spanier gegen Uzpantlan vor, welches sie nach verzweifelter Gegenwehr seiner Bewohner eroberten und zerstörten.

Trotzdem auf diese Weise die Ixiles den Spaniern unterthan und jedenfalls tributpflichtig geworden waren, so spielten sie doch in der fernern Geschichte des Landes bis in die Neuzeit keine Rolle mehr. Die hochgelegenen, kalten und

---

[1] *Juarros*, Compendio de la historia de la ciudad de Guatemala, Trat. IV, Cap. 12: .... venian estos no staviados de ropas ni adornados de plumas, sino embijados y en traje de indios bárbaros.

Nomina beim substantivischen Gebrauchs.

Am häufigsten sind es die rein substantivischen Suffixe, welche an einsilbige Nomina primitiva herantreten. Einigen dieser Suffixe liegt offenbar der Begriff einer Pluralität des Grundbegriffes zu Grunde, sie bilden eine Art von Abstraction desselben und viele dieser abgeleiteten Formen haben geradezu abstracte Bedeutung, z. B. einige der von Farbenbenennungen abgeleiteten. Hierher gehören die Suffixe *-il* und *-al* in Verbindungen mit einsilbigen Stämmen; z. B.

Nomina auf *-il:*

baj-il, die Knochen, das Gebein (aber auch gelegentlich der einzelne Knochen), von *baj*, Knochen.

sib-il, der Dampf, von *sip*, Rauch.

saj-il, der Tag, von *saj*, weiss, hell.

Nomina auf *-al:*

xam-al, das Feuer, von *xan*, der (aus drei Steinen bestehende) Feuerherd.

ch'ix-al, das Dorngebüsch, von *ch'ix*, der Dorn.

al-al, das Gewicht, von *al*, schwer.

saj-al, die Weisse, von *saj*, weiss.

k'an-al, das Gelbsein, von *k'an*, gelb.

chax-al, das Grünsein, die grüne Farbe, dann die Frische und der unreife Zustand einer Sache, von *chax*[1], grün.

Concrete Bedeutung hat dagegen *caj-al*, das Blut, wörtlich das Rothsein, von *caj*, roth.

Es zeigt sich schon in einigen der obigen Beispiele, dass das Ixil keineswegs ganz arm ist an Worten, die wir als Abstracta bezeichnen müssen. Noch deutlicher beweisen dies Bildungen, wie *ch'ich'-il*, die Kraft, von *ch'ich*, Eisen, *ban-il*,

---

[1] Oft fast wie *chyax* und *quyax* lautend.

33

die Güte, vom Stamme *ban*, gut, *sos-al*, die Verzeihung, von *sos*, verzeihen, vergessen, *niman-al*, der Dienst, von *niman*, gehorchen. Jedoch bilden die Abstracta im Ixil keine besondere Wortkategorie, wie etwa die Substantiva auf *-otl* und *-liztli* im Nahuatl, sondern werden mit Suffixen gebildet, die auch Concreta bezeichnen können.

Am häufigsten findet die Ableitung von substantivischen Nomina durch Suffixbildung von Wurzeln statt, welche eine Thätigkeit bedeuten, also von solchen, die man in andern Sprachen schlechtweg als Verbalstämme bezeichnet.

Die hierfür gebrauchten Suffixe sind die folgenden: *-el*, *-ol*, *-n*, *-bal*, *al*.

1) Mit dem Suffix *-el* wird an einem Verbalstamm oder selbst an einem primitiven Nomen entweder die Person bezeichnet, welche die Thätigkeit des Stammes ausübt, oder der Ort, wo diese stattfindet; z. B.:

tzum-el, der Gatte, von *tzum*, heirathen.

k'abar-el, der Betrunkene, der Säufer, von *k'aban*, trinken (speciell Alcoholica).

mol-el, der Ort, wo etwas aufgehäuft wird, der Haufe, von *mol*, zusammenbringen.

muj-el, der Ort, wo man sich oder etwas versteckt, der Winkel, von *muj*, verbergen.

Bemerkung. Hierher gehört dem Suffixe nach auch:

ixk-el, die Gattin, von *ixo*, erweitert *ixohe*, die Frau. Vgl. im Cakchiquel *ixok*, die Frau (femina) und *ixjail* (uxor).

2) Das Suffix *-ol* bezeichnet meistens die Person, welche die Thätigkeit des Stammes ausübt, zuweilen aber auch eine davon abgeleitete Sache; z. B.:

ban-ol, der Fabrikant, von *ban*, machen.

a-tz'is-ol, der Schneider, von *aj* und *tz'is*, nähen; dagegen:

chaj-ol, die Schuld, von *choj*, schuldig sein.

3) Mit den Suffixen *n* und *m* kann eine Person oder eine Sache bezeichnet werden. Die Verbindung zwischen Suffix und Schlussconsonant der Stammsilbe wird dabei durch zwischengeschobenes *o* oder *a* hergestellt; z. B.:

elk'-o-n, der Dieb, von *elk'*, stehlen (vgl. im Cakchiquel *elck'on*).

ak'-o-n, die Arbeit.

bix-a-m, der Tänzer, von *bix*, tanzen.

bix-a-n, der Tanz.

4) Mit dem Suffix *-bal* wird gewöhnlich das Instrument, womit die Thätigkeit des Verbalstammes ausgeführt wird, oder der Ort, wo sie geschieht, seltener die ausübende Person bezeichnet; z. B.:

yol-bal, die Sprache, von *yol*, sprechen, das Wort.

quis-bal, der Besen, von *quis*, kehren, fegen.

echa-bal, das Maass, von *echa*, messen (vgl. *eta-bal*, die Wage, im Cakchiquel).

c'ay-i-bal, der Marktplatz, von *c'ay*, verkaufen.

il-e-bal, der Rastplatz auf der Reise, von *il*, ausruhen.

moch-e-bal, der letzte, d. h. der- oder dasjenige, womit aufgehört wird, von *moch*, aufhören, fertig machen.

ruej-bal, der Kuss, von *ruej*, küssen.

quye-bal, die Maismahlerin, d. h. die Person, durch welche der Mais gemahlen wird, von *quye*, mahlen.

ca-bal, Haus, von *ca*, sich irgendwo aufhalten, bleiben.

Bemerkung. Das Suffix *-bal* kann auch an Nominalstämme treten; z. B. *a-le-bal*, die Tortillasbäckerin, von *aj* und *le*, die Tortilla.

5) Das Suffix *-al* bezeichnet die Person, welche die Handlung des Zeitwortes ausübt. Es tritt stets an den erweiterten Verbalstamm; z. B.:

chus-un-al, der Lehrer, von *chus*, erweit. *chus-un*, lehren.

sach-in-al, der Spieler, von *sach*, erweit. *sach-in*, spielen.

c'ay-in-al, der Verkäufer, von *c'ay*, erweit. *c'ay-in*, verkaufen.

lok'-on-al, der Käufer, von *lo'k*, erweit. *lok'-on*, kaufen.

yatz'-on-al, der Schlächter, von *ya'tz*, erweit. *yatz'-on*,
tödten.

avu-an-al, der Säemann, von *av*, erweit. *avu-an*, säen.

tz'a-on-al, der Färber, von *tz'ahe*, erweit. *tz'a-on*, färben.

col-on-al, der Hüter, von *cole*, erweit. *col-on*, hüten.

loch'-on-al, die Hebamme, von *lo'ch*, erweit. *loch'-on*,
helfen. ..

tz'is-on-al, der Schneider, von *tz'is*, erweit. *tz'is-on*, nähen.

muj-on-al, der Todtengräber, von *muj*, erweit. *muj-un*, ein-
graben, vergraben.

Bemerkung. Der Accent wird in all diesen derivirten
Substantiven auf die Penultima verlegt.

Nomina adjectivischen Gebrauchs.

Wie bereits erwähnt, existirt kein durchgreifender for-
meller Unterschied zwischen nicht abgeleiteten Substantiven und
Adjectiven. Der syntaktische Gebrauch entscheidet in vielen
Fällen einzig darüber, ob ein Nominalstamm adjectivischen
oder substantivischen Werth habe. *Cab* kann bedeuten „süss"
als Adjectivum, gewöhnlich aber wird es substantivisch für
„Süssigkeit", „Zucker", „Honig" gebraucht. *Ch'o* bedeutet „klein",
aber auch „die Kleine", daher „die Maus". *In meba* heisst:
„ich bin arm", *meba* allein: „der Arme". So bedeutet *tz'il*
„Schmuz" und „schmuzig", *sip*, „Dampf" und „feucht", *caj-i'c*,
„der rothe Chile", bedeutet auch „bitter". Man geht wol nicht
zu weit, wenn man sagt, dass in einem derartigen Stamme
nicht blos ein Adjectivum, sondern ein ganzer Satz in ellipti-
scher Fassung enthalten sei. *Nim* z. B. bedeutet für sich allein
eher „es ist gross", als „gross" als Adjectivum, was am besten
durch die Analyse folgender Construction illustrirt wird:

nim-t-in, ich bin gross.
ma nim-t-ax, du bist gross.
nim-t-e, er ist gross u. s. w.
o nim-t-o
ma-ex nim-t-ex
unk'anahe nim-t-e.

Die Construction *nim-t-in* enthält ausser dem Stamm
nim, „gross", auch die Richtungs- und Ortspartikel *ti*, welche
„in etwas drin" bedeutet, und das suffigirte Pron. person. der
1. Pers. Sing. und bedeutet also „es ist Grösse in mir", d. h.
ich bin gross. Die Möglichkeit einer solchen Ausdrucksweise
macht auch das Fehlen einer Copula im Ixil begreiflich.

Sehr instructiv sind in dieser Hinsicht auch gewisse polysynthetische Verbindungen, in welchen die Art der Grösse
specieller bezeichnet ist und für die wir besondere Stämme
anwenden. So bedeutet *nim-i-vuatz* „breit", die flächenhafte
Grösse, wörtlich „gross sein Gesicht", d. h. die Grösse steckt
in seinem Gesicht, seiner äussern Fläche. So bedeutet *ch'o-i-
vuatz* „schmal", „enge", d. h. klein sein Gesicht, seine Oberfläche.
Nim-t-ul dagegen bedeutet „tief" (z. B. von Flüssen), wörtlich „gross sein Bauch, sein Eingeweide", d. h. die Grösse
steckt in seinem Innern und nicht in seiner Fläche. *Nim-t-i*
bedeutet „dick", wörtlich aber „gross seine Rinde, sein Umfang", d. h. die Grösse bezieht sich auf den Umfang, nicht
auf die Fläche und nicht auf das Innere. *Ch'o-t-i* dagegen
heisst „dünn". In ganz übereinstimmender Weise sind diese
polysynthetischen Formen auch in andern Maya-Sprachen
Guatemalas gebildet, wie nachstehende kleine Tabelle zeigt.

	Uspanteca.	Cakchiquel.	Pokonchi.	Quekchi.
hoch, lang	nim-r-akan [1]	nim-r-akan	nim-r-ok [4]	naj'-r-ok
niedrig. kurz	chal [2].r-akan	ch'utinok [5].-r-akan	qu'isi [7].-r-ok	cachin [8].-r-ok
tief	nim-i-pam [3]	nim-ru-pan	nim-pan	
breit	nim-i-ruich [4]	nim-ru-ruach	nim-ruach	nim-r-u [10]
schmal . . .	chal-i-ruich	chutinok-ru-ruach	qu'isin-ruach	cachin-r-u.

Sehr häufig werden unsere Adjectiva durch entsprechende, abgeleitete, substantivische Nomina umschrieben, welche mit den Pron. poss. verbunden erscheinen. Man sagt z. B. statt der grüne Baum, „die (seine) Grüne *(i-chax-al)* des Baumes", statt der starke Mann, „die (seine) Stärke *(i-ch'ich'-il)* des Mannes. Diese Umschreibung ist besonders dann gebräuchlich, wenn es sich um prädicativische Ausdrucksweise handelt; z. B. *at-i-yaqu-il*, „es ist hart", wörtlich „es gibt seine (des betreffenden Gegenstandes) Härte"; „es ist sehr schwer": *vual-t-al-al*, wörtlich „viel sein Gewicht". Es ist diese Umschreibung eine den Maya-Sprachen Guatemalas gemeinsame Eigenthümlichkeit. So heisst „stark, tapfer" im Cakchiquel *r-oyoval*, „seine Kraft, Tapferkeit" und der oben (S. 5) citirte Satz des Rabinal Achí bedeutet wörtlich: ich bin die Kraft und Mannhaftigkeit des Königs der Krieger von Cunen u. s. w.

Für eine kleine Reihe von Begriffen, welche wir mit besondern Wortstämmen ausdrücken, ist das Ixil genöthigt, zur Negation ihres Gegentheils zu greifen und z. B. für „schwach" zu sagen: „nicht stark". für „hässlich", „nicht schön".

Am meisten nähern sich im Gebrauche die Farbenbenennungen des Ixil unsern Adjectiven; z. B. *chaxa-chay*, frischer Fisch. *sa-cab*, Kreide (wörtlich: weisse Süssigkeit). Hierher

[1] Das Bein. [2] klein. [3] Bauch, Eingeweide. [4] Gesicht. [5] klein. [6] Bein. [7] klein. [8] fern. [9] klein. [10] Gesicht.

gehört auch das Lehnwort *caxlan*[1], das im Ixil und den verwandten Sprachen der Quiché- und Pokonchí-Gruppe gegenwärtig für „weiss" gebraucht wird; z. B. *caxlan-cua*, weisses Brot (im Gegensatz zur indianischen Tortilla), *caxla-na*, der alte (d. i. weisshaarige) Mann.

Rein adjectivische Derivate von Nominalstämmen werden im Ixil, soweit ich sehe, blos durch das Suffix -*la* hergestellt; z. B.:

baj-la, mager, von *baj*, Knochen, knöchern, mager.

nim-la, gross, von *nim*, Grösse, gross.

ban-la, gut, liebenswürdig, von *ban*, Güte, gut.

Aus den analogen Formen[2] anderer Maya-Sprachen lässt sich indessen schliessen, dass das Ixil-Suffix *la* keine einheitliche Bildung ist, und dass das Adjectivum nicht direct von der Wurzel. sondern bereits von einem derivirten Nomen auf *l* abgeleitet wird. Die vollständige Form der obigen drei Adjectiva wäre *baj-il-aj*, *nim-al-aj*, *ban-il-aj*. Es bildet also im *la* des Ixil streng genommen nur *a* das eigentlich adjectivische Suffix, während *l* den rudimentären Rest eines substantivischen Suffixes darstellt.

Die Pluralbildung.

In den Sprachen der Quiché-Gruppe werden wenigstens viele Nomina für menschliche und selbst für einige unbelebte Wesen durch besondere Präfixe und Suffixe pluralisirt[3], während der Plural der unbelebten Dinge sich formell nicht vom Singular unterscheidet und höchstens durch besondere. vom Nominalstamm losgelöste Partikeln bezeichnet wird. [4]

---

[1] Siehe die Lehnworte des Ixil (S. 98).

[2] Vgl. im Cakchiquel *bak-il-aj*, *nim-al-aj*, *utz-il-aj*; dann auch *itzel-al-aj*, böse.

[3] Vgl. im Cakchiquel Sing.: *ajitz*, der Zauberer. Plur.: *i-ajitz-a*.

[4] Vgl. im Cakchiquel: *pa che*, auf den (einzelnen) Baum hin, *pa tak che*, zu den (vielen) Bäumen, d. h. in den Wald.

Im Ixil jedoch existirt in dieser Hinsicht nicht nur kein Unterschied zwischen den Ausdrücken für belebte und unbelebte Wesen, sondern es fehlen der Sprache überhaupt besondere Prä- oder Suffixe zur Pluralbildung beim Nomen.

Reynoso[1] gibt für die dem Ixil nahe verwandte Mame an, dass zur Pluralbezeichnung belebter Wesen ein präfigirtes *e* diene (z. B. *euinak*, persona; *e-euinak*, personas), und dass als besonders elegant noch ein suffigirtes *e* betrachtet werde (*kiahol*, hijo, *e-kiahol-e*, hijos).

Dieses suffigirte *e* findet sich nun im Ixil ebenfalls, hat aber keine pluralisirende Bedeutung. Man hört *ixo* und *ixoh-e* für Frau und Frauen, *na* und *nah-e* für Mann und Männer, *cabal* und *cabal-e* für Haus und Häuser, und man sagt *caval c'am*, zwei Arbeiter, und *caval cabal-e*, zwei Häuser. Ich vermuthe daher, dass dieses Schluss-*e* aus lediglich phonetischen Rücksichten und willkürlich im einen Falle angewendet wird, im andern nicht, und dass ihm die Bedeutung eines rudimentären Demonstrativ-Pronomens, aber nicht die eines Plural-Suffixes zukommt.

Die Analyse von Verbindungen, wie *nim-t-ax*, „du bist gross", und *ma-ex nim-t-ex*, „ihr seid gross" (S. 25), macht es begreiflich, dass ihnen eine Pluralbezeichnung fehlt, da es sich dabei um ein nur scheinbar adjectivisch gebrauchtes Nomen im Singular handelt. Man vergleiche damit die entsprechenden Formen der Sprache von Uspantan: *at nim* und *at-ak i-nim-ak*, wörtlich: „du gross" und „ihr grosse".

Dass den Suffixen -*il* und -*al* zuweilen der Begriff einer Pluralität zukommt, aber mehr im Sinne einer Abstraction aus verschiedenen Einheiten, wurde schon oben erwähnt.

Mit den übrigen Maya-Sprachen theilt das Ixil die Unfähigkeit, Casusbeziehungen zwischen Nomina anders als durch die Stellung (beim Nom., Gen. und Acc.) oder durch be-

---

[1] In: *Pimentel*, Cuadro descriptivo y comparativo de las lenguas indigenas de México (1. Aufl., Mexico 1862), I, 89.

sondere, den Ort oder eine Bewegungsrichtung andeutende Partikeln zu bezeichnen, letzteres für die Beziehung „auf einen Ort hin", „von einem Orte her" oder „an und in einem Orte".

Ferner drückt das Ixil das Geschlecht nicht aus. Soll ein besonderer Nachdruck auf dasselbe gelegt werden, um z. B. das Weibchen eines Thieres im Gegensatz zum Männchen zu bezeichnen, so wird *ixo* vorgesetzt; z. B. *ixo chicham*, die Sau. *ixo ch'i*, die Hündin.

Adjectivisch gebrauchte Nomina entbehren, wie in den übrigen Maya-Sprachen, besonderer Steigerungsformen; eine Vergleichung zweier Eigenschaften in unserm Sinne ist eine dem Maya-Indianer gänzlich fremde Vorstellung.

Ueber die Verwendung einzelner Nomina zu polysynthetischen Verbindungen, um pronominale Beziehungen auszudrücken, wird weiter unten die Rede sein.

DAS PRONOMEN.

Das Ixil unterscheidet, wie die ihm verwandten Sprachen, ein Pronomen personale, possessivum und demonstrativum, die sämmtlich einfache Formen besitzen, ferner Pronomina indefinita und interrogativa, welche Composita sind.

Pronomen personale. Ein solches existirt eigentlich in besondern Formen nur für die beiden ersten Personen des Singulars und Plurals, da die dritten Personen, wenigstens in der selbständigen Form des Pronomens, durch das Pron. demonstr. ausgedrückt werden und Composita sind.

Das Pron. person. besitzt eine selbständige und eine Suffixform, welch letztere in enger Beziehung zur Conjugation steht.

Die selbständige Form drückt die Subjects-, selten die Objectsbeziehung zur Handlung des Zeitwortes aus.

Die suffigirte Form hat zwei verschiedene Bedeutungen. Sie kann 1) eine blosse rhetorische Wiederholung der selbständigen Form bilden oder dieselbe ganz vertreten. In diesen

Fällen congruirt sie natürlich in Person und Zahl mit der selbständigen Form; z. B. *in tuc kin-in*, ich werde ziehen, *v tichajl o*, wir leben, *ma la on-az*, du kommst an u. s. w.

Die suffigirte Form kann 2) die persönliche nähere oder fernere (nicht reflexivische) Objectsbeziehung (mir, mich) ausdrücken, wobei natürlich die Congruenz mit dem Subject aufgehoben ist. Dagegen wird die persönliche Objectivconjugation mittels der selbständigen Form gebildet, vgl. S. 85.

In beiden Fällen sind die ersten Personen des Singulars und Plurals mit denen der selbständigen Form identisch. Die zweiten Personen treten abgekürzt auf und die dritten Personen haben besondere Formen, jedoch so, dass für die dritte Person des Singulars und Plurals im Suffix nur eine Form vorhanden ist.

PRONOMEN PERSONALE.

		Selbständige Form.	Suffigirte Form.
Sing.	1. Pers.	*in*, ich.	*-in*, ich, mich.
	2. „	*ma-ax* oder *moj-ax*, du.	*-ax*, du, dich.
	3. „	*avu-e* oder *u-nah-e*, er.	*-i*, er, ihn.
Plur.	1. „	*o*, wir.	*-o*, wir, uns.
	2. „	*ma-ex*, ihr.	*-ex*, ihr, euch.
	3. „	*un-k'a-nah-e*, sie.	*-i*, sie.

Für alle übrigen Beziehungen des Pronomens werden polysynthetische Formen gebraucht, in welchen ein mit dem Pron. possess. verbundener Nominalstamm als das Wesentliche erscheint.

Dativbeziehung des nicht reflexivischen Pronomens. Diese wird durch eine polysynthetische Form gebildet, in welche drei verschiedene Elemente eintreten, nämlich die rudimentäre Partikel *s*, welche die Richtung „auf etwas hin" bezeichnet, und der Nominalstamm *e* in Verbindung mit dem Pron. possess. der entsprechenden Personen. Dieser polysyn-

thetischen Form wird, mit Ausnahme der ersten Person, das
Pron. pers. gewöhnlich suffigirt. So entsteht das folgende

Pronomen der Dativbeziehung.

Sing. 1. Pers. *s-vu-e*, mir.
　　　　s-e ax, dir.
　　　　s-t-c, ihm.
　　　　s-k-e o, uns.
　　　　s-c ex, euch.
　　　　s-t-e un-k'a-nah-e, ihnen.

Es entspricht diese Form vollkommen der gleichbedeuten-
den des Cakchiquel: *ch-uvu-e, ch-avu-e, chi-r-e, chi-k-e, chi-ivu-e,
chi-qu-e*, wo ebenfalls die Richtungspartikel *chi* mit dem Pron.
poss. und dem Stamm *e* verbunden erscheint.

Was nun dieser Stamm *e* eigentlich sei, kann nur auf
Umwegen und im Zusammenhang mit Späterm erschlossen
werden.

Pronomen reflexivum. Hat die Handlung des Verbums ihren eigenen Urheber in einer Dativ- oder Accusativ-
beziehung zum Object, so wird dieses Verhältniss durch ein
polysynthetisches Suffix ausgedrückt, das aus der Verbindung
des Pron. possess. der entsprechenden Person mit dem Stamme
ib besteht. Wir erhalten danach das folgende

Pronomen reflexivum.

Sing. 1. Pers. *vu-ib*, mich selbst.
　　2. „　*eb* (statt *a-ib*), dich selbst.
　　3. „　*t-ib*, sich selbst.
Plur. 1. „　*k-ib*,　u. s. w.
　　2. „　*et-ib*
　　3. „　*t-ib*.

Z. B.:

　la vu-ocsa vu-ib, ich werde mich ankleiden.
　ma la ocsa eb, du wirst dich ankleiden.

uvu-e la t-ocsa t-ib, er wird sich ankleiden.
o la k-ocsa k-ib   u. s. w.
ma-ex la et-ocsa et-ib
un-k'a-nah-e la t-ocsa t-ib.

Die Bedeutung des Stammes *ib* ist aus dem Ixil nicht ohne weiteres ersichtlich, da derselbe nur in polysynthetischen Verbindungen vorkommt. Es müssen daher die Nachbarsprachen zu seiner Ergründung zu Hülfe genommen werden.

Man vergleiche z. B. das Verbum refl. „sich kratzen" im *Pokonchi*, *Quekchi* und *Cakchiquel*.

Pokonchi:
> *i-nu-loch vu-ib*, ich kratze mich.
> *in-a-loch avu-ib*   u. s. w.
> *i-ru-loch r-ib*
> *in-ka-loch k-ib*
> *in-a-loch-tak avu-ib*
> *in-qui-loch qu-ib.*

Quekchi:
> *t-in-ch'uy vu-ib*, ich kratze mich.
> *t-at-ch'uy avu-ib*   u. s. w.
> *t-a-ch'uy r-ib*
> *t-v-ch'uy k-ib*
> *t-ex-ch'uy er-ib*
> *t-e-ch'uy r-ib.*

Dagegen *Cakchiquel:*
> *ni-vu-ixcacuj vu-ij* oder *vu-i*, ich kratze mich.
> *nd-avu-ixcacuj avu-ij* oder *avu-i*   u. s. w.
> *nd-r-ixcacuj r-ij* oder *r-i*
> *ndi-k-ixcacuj k-ij* oder *k-i*
> *nd-ivu-ixcacuj ivu-ij* oder *ivu-i*
> *ndi-qu-ixcacuj qu-ij* oder *qu-i.*

Wir sehen also, dass in den Sprachen der *Pokonchi*-Gruppe (*Pokonchi* und *Quekchi*) derselbe Stamm *ib* zur Bildung des

Pron. refl. gebraucht wird. Auch das *Quiché* bildet sein Pron.
refl. damit, während im *Cakchiquel* (und nach Flores im
Tz'utuhil) der Stamm *ij*, obwol in strenger Analogie mit *ib*,
vorkommt. Allerdings scheint der unmittelbaren Identificirung
der Stämme *ib* und *ij* der Umstand im Wege zu stehen, dass
ij im Cakchiquel eine bestimmte Bedeutung hat, nämlich „der
Rücken“, „die äussere Schale“ oder „Hülle“, Bedeutungen,
wofür im Ixil *i*, im Pokonchi *ij*, im Quekchí *is* gebraucht
wird, während *ib* aus diesen Sprachen nicht zu erklären ist.

Vergleichen wir mit dem Gesagten die *Maya von Yucatan*,
so finden wir als Pron. refl. den Stamm *ba* mit dem Pron. poss.:

Sing.: *in-ba*, mich selbst, *a-ba*, dich selbst, *u-ba*. ihn selbst;
Plur.: *ca-ba*, *a-ba-ex*. *u-ba-ob*.

Dieser Stamm *ba* wird in einer den Stämmen *ib* und *ij*
durchaus analogen Weise gebraucht; z. B.:

in-cimzah in-ba, ich tödtete mich.
a-cimzah a-ba u. s. w.
u-cimzah u-ba.

Mit der Partikel *tan* verbunden bedeutet *ba* einer den
andern; z. B.: *tan ca-loxic ca-ba tan-ba*, wir prügeln uns gegenseitig, wörtlich: „zwischen uns“.

So verschieden nun auf den ersten Anblick die Formen
ib, *ij* und *ba* sind, so scheinen sie nichtsdestoweniger identisch zu sein und einer und derselben ursprünglichen Form
zu entstammen, von welcher sie lediglich Rudimente darstellen.
Diese Form, welche die Lautelemente aller drei Stämme in
sich vereinigt, ist *ibaj*, und findet sich noch vollständig in
der Sprache von *Uspantan*, einem Idiom, welches dem Quiché
sehr nahe steht, in mancher Hinsicht sich aber auch an das
Pokonchi anlehnt, wie später gezeigt werden soll.
In der Uspanteca kommen die Formen *ij* und *ibaj* neben-
einander in vollkommen identischer Bedeutung vor. Dort
heisst nämlich:

auf mir, *chi-ru-ij* oder *chi-en-ibaj.*
auf dir, *ch-avu-ij at* oder *ch-avu-ibaj at.*
auf ihm, *chi-r-ij re* oder *chi-r-ibaj re.*
auf uns, *chi-k-ij oj* oder *chi-k-ibaj oj.*
auf euch, *ch-avu-ij at-ak* oder *ch-avu-ibaj at-ak.*
auf ihnen, *chi-r-ij re-chak* oder *chi-r-ibaj re-chak.*

In vollständiger Parallele mit der letztern Form finden wir auch im Ixil:

auf mich, auf mir, *s-ru-iba in.*
auf dich, auf dir, *s-e¹-ba ax.*
auf ihn, auf ihm, *s-t-iba wue.*
u. s. w. *s-k-iba o.*
s-et-iba ex.
s-t-iba uuk'anah-e.

Gestützt auf das besprochene Verhältniss in der Uspanteca werden wir geneigt sein, die Stämme *ij* und *i* des Cakchiquel, *ib* des Ixil und *ba* der Maya als aus den archaischen Formen *ibaj* der Uspanteca und *iba* des Ixil durch Elision, resp. Contraction, entstanden anzusehen. Wir werden in ihnen Formen erblicken können, welche für gewisse Fälle und in gewissen Sprachen ausschliesslich in Gebrauch kamen, während die vollständigern Formen noch in einigen kleinen und räumlich isolirten Gliedern der Maya-Familie erhalten blieben und da verwendet werden, wo es sich um eine concrete Angabe einer Bewegungsrichtung („auf mich hinauf") oder eines Ortes („auf mir", d. h. meiner Person) handelt, und nicht blos um eine logische Beziehung.

Die Grundbedeutung von *ibaj* scheint diejenige des menschlichen Körpers gewesen zu sein. Wir finden davon noch Spuren im *ij* des Cakchiquel und der Uspanteca, welches „der Rücken" bedeutet, und vielleicht ist auch der Stamm *ba*, „der Kopf", der letztern Sprache aus derselben Quelle herzuleiten.

---

¹ Dieses *e* im Ixil entspricht dem *ae* in andern Maya-Sprachen.

Verhältniss des Pronomen reflexivum zum Verbum.
Man kann im mündlichen Verkehr mit Indianern der Quiché-
und Pokonchi-Stämme im Zweifel bleiben, ob für ihr Sprachgefühl das Pron. reflex. eine selbständige Bildung darstellt,
oder ob es einen integrirenden Bestandtheil der Verbalformen
bildet. Weder diese, noch der Satzaccent geben uns hierüber
genügend Aufschluss. Die alten Grammatiker, Ximenez für
das Quiché und Flores für das Cakchiquel, haben das Pron.
reflex. als selbständige, vom Verbum getrennte Form behandelt.

Im Ixil dagegen sowie in der Uspanteca kommen Bildungen vor, in denen das Pron. reflex. nicht nur dem Verbum
agglutinirt, sondern geradezu incorporirt erscheint. Vgl. z. B.

im Ixil: *cu-molo-kib-ba*, lass uns uns gegenseitig begleiten,
　　　　vu-ocsa-vu-ib-ba, ich will mich anziehen,
in der Uspanteca: *at-ak a-muk-avu-ib-ak*, ihr verberget euch.

Dagegen ist die Verbindung zwischen Verbalstamm und
dem Dativpronomen *svue, se, ste* u. s. w. eine lockere. Die
Häufigkeit, mit der dasselbe accentlos erscheint, macht es
zwar wahrscheinlich, dass es für das indianische Sprachgefühl
noch zum Verbum gehört und nicht als selbständige Form
empfunden wird, z. B. in *cat vu-ál ste*, ich habe es ihm gesagt, *cat úm-ban tzüm ste*, ich habe ihn gepeitscht (wörtlich:
„ihm das Leder gemacht" d. h. gegeben). Indessen gibt es
eben auch Fälle, wo der Wort- (richtiger Satz-)Accent auf das
Dativpronomen fällt, da eine tonlose Silbe vorbergeht, z. B.
uvué cat-ák'on svué, er hat es mir gegeben, *yé cux yá-l-ax svué*,
betrüge mich nicht. In keinem mir bekannten Falle aber
wird es dem Verbum incorporirt. Man sagt: *ocsa-lavux ¹-ba svue*,
nagle es mir (wörtlich: „mache mir den Nagel hineingehen")
und nicht *ocsa-lavux-svue-ba*.

---

¹ *lavux*: Corruption des spanischen *clavo*.

DAS PRONOMEN POSSESSIVUM.

Wie in allen Maya-Sprachen bilden die Possessivpronomina auch im Ixil eine der wichtigsten Wortkategorien, weil sie als Präfixe in Verbindung mit gewissen Nominalstämmen dasjenige bilden, was wir nach unserer Terminologie als Verbum bezeichnen. In der That zeigt es sich in der Conjugation sowol als in den zahlreichen, die Pronomina vertretenden polysynthetischen Verbindungen, wie sehr die ganze Sprache bestrebt ist, ihren gesammten Inhalt auf Possessivverhältnisse zu reduciren und durch sie auszudrücken, eine Eigenthümlichkeit, die das Ixil auch mit den übrigen Maya-Sprachen theilt.

Im Ixil, wie in den verwandten Sprachen, existirt eine besondere Form des Possessivpronomens für die vocalisch anlautenden, und eine andere für die consonantisch anlautenden Nomina (incl. der Verbalstämme).

Sie lautet vor Stämmen mit vocalischem Anlaut (*otzotz*, Haus):

Sing. 1. Pers. *vu-otzotz*, mein Haus.
    2. „   *un-otzotz*[1] u. s. w.
    3. „   *t-otzotz*.
Plur. 1. „   *k-otzotz*
    2. „   *et-otzotz*
    3. „   *t-otzotz*.

Vor Stämmen mit consonantischem Anlaut (*ch'i*, Hund):

Sing. 1. Pers. *ung-ch'i*, mein Hund.
    2. „   *a-ch'i*   u. s. w.
    3. „   *i-ch'i*.
Plur. 1. „   *cu-ch'i*
    2. „   *e-ch'i*
    3. „   *i-ch'i*.

---

[1] Diese Form des Ixil bildet eine Unregelmässigkeit, indem die andern Sprachen den Hiatus *ao* hier vermeiden. Nach Analogie der Maya- (*au-otoch*) und der Quiché-Sprachen (*avu-ochoch*) würde man erwarten: *u-avu-otzotz*, contrahirt *u-e-otzotz*.

In der Regel wird, ausser in der 1. und 2. Pers. Sing., hinter dem Substantiv noch das Pronomen personale der betreffenden Person in der Nominativform gesetzt, wodurch das Possessivverhältniss noch deutlicher hervorgehoben wird. Man sagt daher *cu-ch'i o*, unser Hund von uns, *e-vnatz ex*, euer Gesicht von euch u. s. w.

Ist der Eigenthümer, wie in der 3. Person beider Numeri stets, ein Nomen, so wird dieses dem mit dem Possessivpronomen versehenen Ausdruck (dem Eigenthum) nachgesetzt, z. B. *i-chyol ixo*, die Brust der Frau (wörtlich: ihre Brust der Frau), *t-itz'in ung-K'ab*, der kleine Finger (wörtlich: ihr Jüngster meiner Hand), und das Ganze scheint für das indianische Sprachgefühl einen einzigen, obwol blos agglutinirten, Ausdruck zu bilden.

Es gibt für den Ixil-Indianer (und für die verwandten Stämme gilt dies ebenfalls) zwei Begriffskategorien, die er sich ohne ein Possessivverhältniss fast gar nicht denken kann, nämlich die Verwandtschaftsbeziehungen und die Körpertheile. Er nennt dieselben stets mit irgendeinem Possessivpronomen verbunden. So sagt er *i-bal*, sein Vater, *ung-mam*, mein Grossvater, *t-ican*, sein Oheim. So sagt er *ung-si*, mein Mund, *t-ul*, sein Bauch, *cu-hu*, unsere Nase u. s. w., aber nicht *bal*, *mam*, *ican*, *si*, *ul*, *hu* allein.

Diese enge Verbindung kann indessen gelegentlich aufgehoben werden, wenn zu diesen Ausdrücken noch ein anderweitiges Eigenthumsverhältniss tritt. Man hört z. B. *i-xil cu-vnatz*, die Augenbraue (wörtlich: sein Haar unsers Gesichtes) und *xil cucnatz*; *i-xaj ung-si*, die Lippen (wörtlich: seine Blätter meines Mundes) und *xaj ungsi*. Blos bei vocalisch anlautenden Stämmen bleibt auch in diesen Verbindungen das Possessivpronomen vor dem Eigenthumsausdruck stets erhalten, man hört blos *t-ul ung-xiquin*, das Ohrenschmalz (wörtlich: sein Eingeweide meines Ohres) und nie blos *ul ungxiquin*.

Niemals aber fehlt in solchen Verbindungen, wo der bestimmende Ausdruck ebenfalls einen Körpertheil bezeichnet, das Pron. poss. vor diesem.

Verhältniss des Possessivpronomens zum Pronomen substantivum. Es wäre eine höchst interessante und wichtige Aufgabe, zu untersuchen, ob die Possessivpronomina wirklich eigenthümliche, von den persönlichen Fürwörtern radical verschiedene Bildungen, oder ob nicht vielleicht die letztern in ihnen enthalten und aus ihnen entstanden sind. Hierfür scheinen in der That einige Eigenthümlichkeiten der dem Verbo-Nomen präfigirten Pronominalformen zu sprechen, die allerdings in andern Maya-Sprachen frappanter sind als gerade im Ixil, und daher dort zur Sprache kommen mögen.

Prädicativische Form des Possessivverhältnisses. So wie es im Ixil und den verwandten Sprachen polysynthetische Wortformen gibt, welche das persönliche Objectsverhältniss der Verbalthätigkeit ausdrücken und aus einem Nomen oder dessen Rudiment mit präfigirtem Possessivpronomen zusammengesetzt sind (vgl. *sene* und *vuib*), so gibt es eine ähnlich construirte polysynthetische Form, um das Possessivverhältniss auf prädicativische Weise darzustellen, wobei allerdings die Copula morphologisch nicht ausgedrückt ist. Diese Form besteht in der Verbindung der Possessivpronomina mit dem Stamm *etz* im Ixil, welchem gemäss dem Princip der Lautsubstitution die Form *ech* der Quiché-Sprachen[1] entspricht. Sie wird auf folgende Weise am häufigsten gebraucht (z. B. *cabal*, Haus).

Sing. 1. Pers. *vu-etz u-cabal-e*, dieses Haus ist mein.
     2. „ *ma-etz u-cabal-c*, dieses Haus ist dein.
     3. „ *t-etz uvue u-cabal-e* u. s. w.
Plur. 1. „ *k-etz u-cabal-e o*
     2. „ *ma-et-etz u-cabal-e ex*
     3. „ *t-etz unk'a-nah u-cabal-c*.

---

[1] *ech* im Quiché und der Uspanteca, *ichin* im Cakchiquel und Tz'utujil, *etz* in der Mame und Aguacateca, wie im Ixil.

Der Stamm *etz* hat in solcher Gebrauchsweise offenbar den Begriff des Eigenthums, wie Brasseur schon ganz richtig für das *ech* des Quiché angedeutet hat[1], und obiges Beispiel bedeutet wörtlich: „mein Eigenthum (ist) dieses Haus".

Um jedoch diesen Stamm *etz* ganz zu verstehen, müssen wir ihn auch in andern Verbindungen untersuchen.

Gehen wir beispielsweise vom Cakchiquel aus, so hat auch hier das dem *etz* des Ixil entsprechende *ichin* die Bedeutung von Eigenthum und wir sagen *re tz'i re vu-ichin yin*, dieser Hund ist mein. Dagegen reicht dieser Begriff nicht mehr aus in andern Fällen, wie der folgende: *Are achi re yin xi-camisan r-ichin*, ich habe diesen Mann getödtet. Hier steckt also in *ichin* eine periphrastische Wiederholung des vorausgegangenen *achi*, der Mann, und der Satz bedeutet etwa: was diesen Mann betrifft, so tödtete ich seine Wesenheit, d. h. ihn.

Vergleichen wir damit Wortformen wie folgende:

Im *Ixil:*

> *ocsan-k-etz*, der Dolmetscher, d. h. derjenige, der unser *etz* herausbringt.

> *c'ayin-t-etz*, der Krämer, d. h. derjenige, der sein *etz* auf dem Markte verkauft. (Vgl. damit *c'ayin-pan*, der Brotverkäufer.)

> *banol-t-etz i-cha*, der Bote, d. h. derjenige, der das *etz* seiner Botschaft *cha* verrichtet.

Ferner in der *Aguacateca:*

> *in ch-in-hach-onk-t-etz*, ich ernte, d. h. ich pflücke das *etz* des Pflückens.

> *in ch-in-avuank-t-etz*, ich säe das *etz* des Säens.

> *avual-t-etz*, der Säemann, d. h. derjenige, der das *etz* der Saat säet, u. s. f.

Wir sehen, dass in all diesen Formen der beiden Sprachen der Stamm *etz* keine bestimmte Bedeutung hat, sondern all-

---

[1] *Brasseur de Bourbourg*, Grammaire de la langue Quichée (Paris 1862), p. 20.

gemein den Inhalt des jeweiligen, transitiv gedachten, Verbalstammes bezeichnet, der im concreten Falle durch ein bestimmtes Object ersetzt wird. So sagt die Aguacateca allgemein:
in ch-in-mason-t-etz, ich kehre, fege, aber bestimmt: *in mase
tzis*, ich kehre den Unrath aus.

Vollkommen übereinstimmend mit dem Gebrauch des
Stammes *eeh* (beziehungsweise *iehin* im Cakchiquel und *ixin*
im Tz'utuhil) ist derjenige von *e* in den Quiché- und Pokonchí-
Sprachen, wie folgende Zusammenstellung zeigt:

Quiché.	Uspan-teca.	Pokon-chí.	Quekchi.	Cakchi-quel.	Tz'utuhil.
ru-ech oder *ru-e*, mein	*ru-ech-in*	*ru-e-kin*	*ru-ech* oder *ru-e*	*ru-ich-in*	*ru-ix-in*
aru-ech oder *aru-e* u. s. w.	*aru-ich-in*	*aru-e*	*aru-ich* oder *aru-e*	*aru-ich-in*	*aru-ir-in*
r-ech oder *r-e*	*r-ech-in*	*r-e*	*r-ech* oder *r-e*	*r-ich-in*	*r-ix-in*
k-ech oder *k-e*	*k-ech-in*	*k-e-joj*	*k-ech* oder *k-e*	*k-ich-in*	*k-ix-in*
iru-ech oder *iru-e*	*aru-ech-ak-in*	*aru-e-tak*	*e-r-ech* oder *e-r-e*	*aru-ich-in*	*aru-ir-in*
qu-ech oder *qu-e*	*r-ech-ak-in*	*quy-e-teke*	*r-ech-eh*	*qu-ich-in*	*qu-ix-in.*

Dagegen kommen im Cakchiquel einfache Formen *ru-ech*
und *ru-e* nur mit Präpositionen verbunden vor:

ch-u-vu-ich-in oder *ch-u-ru-e*, für mich.
ch-avu-ich-in oder *ch-avu-e* u. s. w.
chi-r-ich-in oder *chi-r-e*
ch-ivu-ich-in oder *ch-ivu-e*
chi-qu-ich'in oder *chi-qu-e*.

Die letztere Form des Cakchiquel ist mit der bereits (S. 31)
aufgeführten des Ixil (*s-ru-e* u. s. w.) in ihren einzelnen Elementen vollkommen identisch. Es kann daher aus der obigen
Tabelle mit hoher Wahrscheinlichkeit die wurzelhafte Identität
von *eeh, etz* und *e* gefolgert werden, und der Grundbegriff der

sämmtlichen Formen scheint, jetzt wenigstens, derjenige der
Wesenheit eines belebten oder unbelebten Gegenstandes zu
sein, eine Art abstracter Verallgemeinerung, die im Special-
falle bald die eine, bald die andere concrete Bedeutung annehmen kann. Ursprünglich aber ist die Bedeutung eine concrete gewesen, die, wie das Pokonchí zeigt, dem menschlichen
Körper entnommen war, und die Stämme *ech* und *etz* sind nichts
anderes als Rudimente der vollständigern Formen *vuwh* und
vuetz, „das Gesicht".

Versuchen wir diesem Stamme *etz* an Hand einer häufigen
Lautsubstitution auch in der Maya von Yucatan nachzugehen,
so würden wir auf den Stamm *et* geführt. Es findet sich derselbe dort ebenfalls in Verbindung mit den Possessivpronomina
als *u-et (vu-et), y-et* und in der Derivativform *etel* als *u-etel,
au-etel, y-etel*. Der Grundbegriff des *et* in der Maya ist
jedoch ein ganz anderer als der von *etz* und *ech*, nämlich
derjenige einer Gemeinsamkeit, Vergesellschaftung, sowie einer Aehnlichkeit oder Uebereinstimmung.[1] So
gibt Perez für *et* die Beispiele: *a uet* (richtiger *au-et) batabil*
(otro cacique como tú, ein anderer Fürst deinesgleichen), *yet
(i-et) biniob* (juntos se fueron). In derselben Bedeutung findet
sich *et* in einer Menge von Compositionen. Das derivirte Nomen
et-el bedeutet geradezu „der Begleiter", *u-etel (vu-etel)*, mein Begleiter, d. h. „mit mir", *y-etel*, sein Begleiter, d. h. „mit ihm",
„und", z. B. *y-ilabob yetel Nachi May u lakob*, man sah sie mit
Nachi May zusammen, *nok yetel rosario yetel capote*, die Kleider
und den Rosenkranz und den Mantel (Chronik von Chicxulub).

Es deckt sich also der dem *et* der Maya und dem *etz* und
ech der guatemaltekischen Sprachen zu Grunde liegende Begriff nicht.[2] Offenbar muss daher das *et* der Maya aus einer

---

[1] Vgl.: Diccionario de la lengua Maya por *D. Juan Pio Perez*
(Merida 1866—77).

[2] Dem Sinne nach entspricht heute dem *et* der Maya ein anderer
Stamm in den Quiché- und Mame-Sprachen, nämlich *u'c* (in einigen zu
iqu'in erweitert), der später behandelt werden soll.

andern Quelle hergeleitet werden, indem *etz* und *ech* vielmehr mit dem Stamme *ich* der Maya identisch sind. Während in den Mame- und Quiché-Sprachen die verkürzten Stämme *etz* und *ech* ausser der oben gegebenen keine Verwendung gefunden zu haben scheinen, so dient dagegen im Pokonchí das vollständige *vuach* auch als Suffix transitiver Zeitwörter; z. B. *vu-ilom vuach i-juj,* ich habe gelesen (es) das Buch; *cha-tz'ihbaj vuach vu-e juj re re,* schreibe (ihn) mir diesen Brief.

Die Vermuthung liegt gewiss nahe, dass derselbe rudimentäre Stamm *c,* welcher in polysynthetischer Form (*s-vu-e, ch-u-vu-c* u. s. w.) die Dativbeziehung des Pron. person. substant. ausdrückt, auch in dem suffigirten *e* des Pron. demonstr. des Ixil verborgen sei; z. B. *u-cabal-e,* jenes Haus, *al-i-cu-e,* dort unten (wörtlich: „dort sein Hinabsteigen von jenem"), und besonders in *uvu-e (u-c),* „jener", „jenes", wo *c* am ehesten den oben entwickelten Begriff der concreten belebten und unbelebten Wesenheit ausdrückt.

DIE PRONOMINA DEMONSTRATIVA.

Als einfache Pron. demonstr. können im Ixil nur das Präfix *u* und das Suffix *e* gelten, die meist gleichzeitig zur Verwendung kommen. *U* vertritt häufig unsern Artikel (wie das Pron. demonstr. *ri* in den Quiché-Sprachen), da es nicht immer einen speciell hinweisenden Sinn hat; z. B. *cuk'i cat ul u-Pedro,* spät kam Pedro; *in mutel-in ti-u-cabal-e,* ich trete aus dem Haus; *t-u-vu-otzotz,* in meinem Haus, nella mia casa (ital.).

Das Pron. demonstr. *u* ist auch eine der wenigen Wortformen des Ixil, welche eine deutliche Pluralbildung zeigen, nämlich *un-k'a (un-k'a-nah-c,* jene Männer). Die Form *un-k'a* macht es wahrscheinlich, dass *u* lediglich ein Rudiment des Zahlwortes *jun,* „einer", ist, welches im Ixil nicht einfach vorkommt.

In Verbindung mit dem Stamme *e* (S. 40) und *na,* der Mann, fungirt das Pron. demonstr. *u* als 3. Pers. Sing. und Plur. des Pron. person.: *u-nah-e,* er, und *unk'a-nah-e,* sie, und *uvu-e,* er.

In den gleichen Verbindungen dient es als Pron. demonstr. „dieser", „diese". Wird hinter dem Nomen im Singular noch *uvue* gesetzt, so gibt die ganze Verbindung den Begriff von „jener, jene" wieder; z. B. *u-nah-e*, dieser Mann, *u-nah-e uvu-e*, jener Mann; dagegen im Plural *unk'a-nah-e*, diese Männer und jene Männer; *unk'an tenam*, jene Dörfer.

Das Ixil ist die einzige mir bekannte Maya-Sprache, in welcher der Stamm *na*, erweitert *nah-e*, in der Bedeutung von „Mann, Mensch", vorkommt. Die Mehrzahl der übrigen Maya-Idiome braucht hierfür *vuinak* (*vuink* im Quekchi, *uinic* in der Maya). *Vuinak*, die Form der Quiché-Sprachen und des Pokonchi, ist offenbar eine zusammengesetzte Form. *Vui* bedeutet in den Quiché-Sprachen „Finger" (auch „Kopf"), und in *nak* dürfen wir wol das *na* und *nah-e* des Ixil um so eher vermuthen, als eine ähnliche Abschwächung des *k* der Quiché-Sprachen auch in andern Ixil-Worten vorkommt, vgl. z. B. *ixok* (Frau) im Cakchiquel mit *ixo* und *ixohe* im Ixil. *Vui-nak* sind also wörtlich die „Finger des Menschen" (inel. der Zehen), und so kommt es wol, dass für die Zahl 20, die Gesammtsumme der Finger und Zehen einerseits, und für den ganzen Menschen andererseits, nur ein Wort vorhanden ist. *Nak* allein wird im Cakchiquel noch als Fragepartikel in der Bedeutung „wer" gebraucht.

Die dem Ixil nahe verwandte Aguacateca braucht für „Mann" den Ausdruck *ya*, erweitert *yaje*. Diese Form ist es, von der wir vielleicht das Präfix *a*, vollständiger *aj*, ableiten dürfen, welche in zahlreichen Compositionen in sämmtlichen Maya-Sprachen vorkommt (ob in der Huasteca?), stets mit der Bedeutung der Person, welche eine Sache thut (daher gewöhnlich als Bezeichnung von Gewerben), oder welche von einem Orte herstammt; z. B. *a-cun*, der Zauberer, *a-k'i*, der Wahrsager (Ixil), *aj-k'ojom*, der Trommelschläger, *aj-su*, der Flötenbläser (Uspanteca), *ah-bab*, der Ruderer, und Formen wie *yah-ohelil-be*, der Zeuge, *yah-tz'ibul be*, der Chronist (Maya).

Der specifische Begriff des Männlichen ist dabei theilweise

verloren gegangen: dieses Präfix kann auch weibliche Personen bezeichnen; z. B. *a-le-bal*, die Tortillera, *a-tz'is-ol*, Schneider und Schneiderin.

So wären die anscheinend so heterogenen Formen *cuinak* und *aj* durch das *nahc* des Ixil und *yaje* der Aguacateca doch aus derselben Quelle herzuleiten, denn diese beiden dürfen wol als blose Aussprachsvarianten derselben Wurzel angesehen werden.

Als Pron. demonstr. in der Pluralbedeutung „jene" dient auch das Compositum *cha'kna'k*, auch *chaj-na'k*, *chajna* und *chana* gesprochen, dessen Analyse der schwankenden Aussprache wegen schwierig ist. In *nak*, resp. *na*, darf wol der bereits erörterte Stamm *na*, erweitert *nahc*, gesucht werden.

Andere einfache Pronominalformen als die genannten finde ich im Ixil nicht. Dagegen gibt es darin noch eine Reihe polysynthetischer Bildungen, welche einige unserer Pronomina interrogativa und indefinita vertreten. Dahin gehören die folgenden

PRONOMINA INTERROGATIVA UND INDEFINITA.

Abil. *Abil* bedeutet „wer", z. B. *abil-ax*, wer bist du, und bildet den Stamm für eine Reihe von Ausdrücken, in welchen derselbe theils polysynthetisch, theils blos agglutinirt mit verschiedenen Suffixen verbunden erscheint, die in gewissem Sinne die grammatischen Casusformen von *abil* darstellen. So mit *s-t-e*, *abil-ste*, *abi-ste* und (vor *i* und *u*) *abi-sti*, wer; z. B.:

abi-sti-u-nah-e, wer ist dieser Mann?

abi-sti-unk'a-nah-e, wer sind diese Leute?

abil-ste cat a'k-ungcuat-can, wem hast du es gegeben?

Die Analyse des Suffixes *ste* wurde bereits (S. 31) erörtert. Mit dem Stamme *etz* (vgl. S. 38) bildet *abil* die Form:

abil-etz, wessen? wem gehörig? z. B. *abil-etz u-cabal-e*, wem gehört dieses Haus?

Mit *i-bal* (wörtlich „sein Vater“) setzt sich *abil* zusammen zu *abil-i-bal* und *abi-st-i-bal*, wessen? wem gehörig? z. B.: *abil-i-bal u-cabal-e* und *abi-st-i-bal u-cabal-e*, wem gehört dieses Haus? wörtlich: „wer ist sein Vater diesem Haus?“

Mit dem Suffix der Begleitung *stue* liefert *abil:*

abi-s-t-ue, mit wem? z. B.: *abi-s-t-ue cat a-kos-eb?* mit wem hast du dich geschlagen?

Durch Vorsetzung von *moj* wird dem Stamm *abil* seine Qualität als Pron. interrogat. benommen und die Bedeutung von „irgendeiner, jemand“ verliehen; z. B. *moj-abil cat banon*, irgendjemand hat es gethan.

Durch Präfigirung der Negativpartikel *yel* wird der Begriff von *abil*, „irgendeiner“, in sein Gegentheil „keiner“, „niemand“ verwandelt, wobei die Form *ye-x-ebil*[1] entsteht, in welcher das *a* infolge einer Art von Vocalharmonie in *e* übergeht. Im Satze jedoch steht *yexebil* nicht allein, sondern wird gewöhnlich mit dem Zahlwort *ungvuat*, ein anderer, verbunden. Man sagt also *ye-x-ebil ungvua*[2]*cat uli*, niemand, keiner (wörtlich: „kein anderer“) ist gekommen; *ye-x-ebil-s-t-e ungrua-jo cat ilon*, keiner von uns hat ihn gesehen; *ye-x-ebil ung-vua cat vu-ila*, ich habe niemand gesehen.

Was nun die Analyse dieses Stammes *abil* anbelangt, so ist zunächst zu bemerken, dass er als solcher und in dieser Function dem Ixil eigenthümlich ist. Die übrigen Maya-Sprachen Guatemalas verwenden andere Wortformen als Pron. interrogativa. Morphologisch ist *abil* ein mit dem Suffix *l* abgeleitetes Nomen von einem Stamm *abi*, der im Ixil in der Bedeutung „fragen und hören, verstehen“ vorkommt[3], *abi-l* ist also eigentlich „der Frager“, dann auch „der Wissende“. *Abi*

---

[1] Ich bin nicht im Stande, dieses *x* in *yexebil* zu erklären.

[2] Das Schluss-*t* wird in der Zusammensetzung elidirt.

[3] *nic-ru-abi*, ich frage; *abi-ba*, frage! *cat k-abi-l o*, wir haben verstanden.

aber ist eine einfache Agglutination des Pron. poss. der 2. Pers. Sing. mit dem Nomen *bi*, welches im Ixil wie in den Nachbarsprachen der Mame-, Quiché- und Pokonchí-Gruppe „der Name" bedeutet. Z. B. im Ixil *cam a-bi?* wie heissest du, d. h. was ist dein Name? Da nun dies eine der gewöhnlichsten Fragen des täglichen Lebens ist, so wäre es möglich, dass der Complex *abi* im Ixil eine solche Festigkeit erlangt hätte, dass er ohne weiteres als Verbalstamm mit dem Begriff „fragen" acceptirt und behandelt würde. Wahrscheinlich aber ist das Präfix *a* nicht das Pron. possess., sondern der Stamm *a* (erweitert *aj*), der die Person bezeichnet, und *a-bi* (für *aj-bi*) wäre „der Mann, der so und so heisst". Ausser *a-bi* gibt es im Ixil noch ein paar ebenso gebildete Verbalstämme; z. B. *a-sube*, gähnen, wörtlich „dein Hauch" oder „der Haucher". Auch hier wird diese Verbindung, mit gänzlicher Vernachlässigung des Präfixes *a*, mit den übrigen Personen conjugirt: *nic-vu-a-sube*, ich gähne, *ma n-a-sube, nic-t-a-sube, nic-k-a-sube, ma-ex u-et-a-sube, unk'a-nah-e nic-t-a-sube*.

Im Cakchiquel dient dasselbe Nomen *bi* ebenfalls zur Bildung von Verbalstämmen, jedoch ohne ein Pron. possess. und nicht mit dem Grundbegriff „fragen", für welchen ein anderer Stamm gewählt wird, sondern mit dem Begriff „reden", antworten, versprechen u. s. w. Diese Bedeutungen werden im Cakchiquel durch *bi* mit dem Verbalsuffix *ij* ausgedrückt *(bi-ij)*.

Junun. Ein weiteres Pron. indefin. ist *junun*, „jeder"; z. B. *junun tze*, jeder Baum, *t-u junun k'i*, täglich (wörtlich: „in jedem Tage"). *Junun* ist blos eine Reduplication des im Ixil nicht in einfacher Form vorhandenen Zahlwortes *jun*, einer. Es entspricht der Bedeutung nach dem *jujun* des Cakchiquel und der Form nach dem *hunhun* der Maya. Entsprechend dem *jujun* des Cakchiquel existirt im Ixil *jujun-il*, ein jeder.

Bemerkung. Der Begriff „ein anderer" (alius) fehlt dem Ixil wie seinen Nachbarsprachen. Allerdings geben die Indianer auf die Frage, was das spanische „otro" heisse, je nach dem Idiom verschiedene Ausdrücke an. Eine Untersuchung derselben lehrt jedoch, dass es sich dabei um Zahlbegriffe im Sinne einer Addition: „noch einer dazu" handelt. So sagt das Cakchiquel *jun chic*, „noch einer", für „otro", das Ixil braucht sogar blos eine leichte phonetische Modification des gewöhnlichen Zahlwortes *ung-vua-l*, einer, nämlich *ung-vua-t*, „noch einer"; z. B. *t-ungvua-t viaje*, „en otro viaje", d. h. wörtlich „in (noch) einem Gang", eine Wendung, die hauptsächlich gebraucht wird, um zu sagen, dass man mehr als einmal denselben Weg zur Erreichung irgendeines Zweckes machen muss. Ganz in derselben Weise bedeutet das aztekische *occe* in seinen Derivaten blos „otro" im Sinne einer Addition, nicht aber im Sinne einer Stellvertretung; z. B.: *Auh niman occeppa quintocaque yn Xaltocamcca*, „Und dann vertrieben sie die Leute von Xaltocan noch einmal" (Anales de Cuauhtitlan).

Cam. *Cam* bedeutet was? was für eine Sache? wie z. B.:

cam la bane, wie (wörtlich: was) willst du es machen?

cam u-bi-in, was ist mein Name, wie heisse ich?

Ob *cam* einen einfachen oder bereits polysynthetischen Stamm darstellt, lässt sich nicht entscheiden, auf letzteres deutet die Analogie mit *cat* hin *(ca-m?)*.

Cam dient als Stamm für einige polysynthetische Verbindungen, wie

cam-c? was? *cam-t-etz?* warum? *ye-x-cam*, nichts.

Von *cam* ist wol auch *can-ic* in der Verbindung *can-ic i-quye*, wie gross? abzuleiten.

Vgl. im Cakchiquel *Xhanic'al*, wie lange Zeit her (Flores, p. 270), ferner im Ixil *can-ij*, wie viel werth; z. B. *can-ij i-hamil*, wie gross sein Preis? was kostet es?

Cat. *Cat* bedeutet wo? an welchem Orte? wohin? z. B.:

cat i-cat? wo ist er? *cat-ic i-le-(n)na?* wohin ist er geflohen?

Die Verbindungen, in welchen *cat* als Fragepartikel gebraucht wird, weisen darauf hin, dass wir in ihm eine poly-

synthetische Verbindung zu sehen haben, welche aus dem
Verbalstamme *ca*, der „bleiben" bedeutet, und dem unpersön-
lichen Verbum *at*, „irgendwo sein, sich befinden", besteht.
Cat i-cat würde also bedeuten: wo ist sein Bleiben, d. h. wo
ist er? *Cat-ic i-bc(n) na?* wo war sein (iehen des Mannes?
wohin floh er?

Die Verbindung *cat* kann dann im weitern die Bedeutung einer Fragpartikel ganz verlieren und dient alsdann zur
Bildung präteritaler Zeiten des Verbums; z. B. *cam cat vu-al-se?*
was habe ich dir gesagt? wörtlich: was ist mein Sagen dir
(gewesen)? (Vgl. darüber die Conjugation.)

Mit der Negation *yel* verbindet sich *cat* zu *ye-x-cat*, nirgends; z. B. *ye-x-cat i-cat*, er ist nirgends.

Hat. Der Stamm *hat* bedeutet „wie viel?" Er verbindet sich
mit dem Nominalstamm *cual*, der eine Quantität, „die Menge"
bezeichnet, zu *hat-cual*, wie viel? Z. B. *hat-cual a-mol?* wie
viele begleiten dich? *hat-cual-ex?* wie viele seid ihr? *hat-cual
i-hamil?* wie viel kostet es?

Hatu. In temporaler Bedeutung wird *hatu*, „wann", gebraucht; z. B. *hatu la ul-ax?* wann wirst du wiederkommen?
Hatu la ben-ax? wann wirst du gehen?

Der Vergleich mit den entsprechenden Pokonchí-Formen
ja-r-uj, wann, *ja-r-ub*, wie viel, zeigt, dass dieses *u* des
Ixil mehr ist als blos phonetisches Einschiebsel, wofür man
es auf den ersten Blick halten könnte, und dass *hat* und *hatu*
Composita sind *(ha-t-u)*, welche einen von demjenigen des *cat*
gänzlich verschiedenen Ursprung haben. *U (uj)* ist offenbar
ein Nominalstamm, der mit dem Pron. possess. verbunden
(r-uj im Pokonchí, *t-u* im Ixil) mit der Partikel *ha* in polysynthetische Verbindung tritt: „wie viel sein *u?*"

Ich bin geneigt, in diesem *uj* des Pokonchí und *u* des
Ixil Rudimente der Stämme *juj* (Pokonchí) und *uu* (Ixil) zu
erblicken, welche beide heute „Buch", „Papier" bezeichnen,
in vorspanischer Zeit aber für die einzigen Bücher, welche
die Indianer damals kannten, nämlich die Kalender der Priester,

gebraucht wurden. *Ja-r-uj* (aus *ja-ru-juj*) im Pokonchí und *ha-t-u* (aus *ha-t-nu*) im Ixil würden also wörtlich bedeuten: Wie viel sein Kalender, seine Zeitrechnung, d. h. wann. *Ha (ja)* kommt im Cakchiquel noch in der Bedeutung von „viel" vor; z. B. *ha çib*, viel Rauch, *ha habal*, viel Regen (Flores).

Schwieriger zu erweisen ist dagegen die formelle Identität von *ha-t* mit *ja-r-ub*, da man vor consonantischem Anlaut *ha-i* erwarten müsste, also *ka-i-rual* statt *ha-t-rnal*. Trotzdem scheint es möglich, dass *ja-r-ub* und *hat* identisch sind, und dass letzteres den Nominalstamm *ub*, als in gewissen Verbindungen bedeutungslos, verlor und gegen andere Stämme tauschte, dagegen das Pron. possess. *t*, das eigentlich vocalischen Anlaut fordert, aus euphonischen Gründen auch vor consonantischem Anlaut beibehielt. Doch könnte *t* auch rudimentäres *at (ha-at)* sein.

DAS NUMERALE.

Obwol die Wurzeln der Zahlwörter im Ixil mit denen der übrigen Maya-Sprachen Guatemalas identisch sind, so unterscheidet sich doch das Ixil in dieser Hinsicht morphologisch mehrfach von den Nachbarsprachen, wie das Studium nachfolgender Uebersicht ergibt.

Cardinalzahlen.

1 *ung-vual.*
2 *ca-vual* (für *cab-vual*).
3 *ox-vnal.*
4 *caj-vnal.*
5 *o-vnal.*
6 *ruaj-il.* [1]

---

[1] Eine wol blos auf den Sprachgebrauch aus euphonischen Gründen zurückzuführende Unregelmässigkeit statt der schwerfälligen Formen *ruaj-rual* und *rnaxaj-rnal.*

7 *vuj-vual.*

8 *vuaxaj-il.*

9 *belu-vual.*

10 *la-vual.*

11 *jun-la-vual* (1 + 10).

12 *cab-la-vual* (2 + 10).

13 *ox-la-vual* (3 + 10).

14 *ca-la-vual* (4 + 10).

15 *o-la-vual* (5 + 10).

16 *vuaj-la-vual* (6 + 10).

17 *vuj-la-vual* (7 + 10).

18 *vuaxaj-la-vual* (8 + 10).

19 *bele-la-vual* (9 + 10).

20 *vuink-il* oder *vuinqu-il.*

21 *vuinaj-un-ul* (20 + 1).

22 *vuinaj-cab-il* (20 + 2).

23 *vuinaj-ox-ol* (20 + 3).

24 *vuinaj-cäl* (für *caj-il*) (20 + 4).

25 *vuinaj-öl* (für *o-ol*) (20 + 5).

26 *vuinaj-vuaj-il* (20 + 6).

27 *vuinaj-vuj-ul* (20 + 7).

28 *vuinaj-vuaxaj-il* (20 + 8).

29 *vuinaj-belu-vual* (20 + 9).

30 *vuinaj-la-vual* (20 + 10).

40 *ca-vuinkil* (2 × 20).

60 *ox-c'al-al* (3 × 20).

70 *la-vual-i-mu'ch* (10 sein 80, 80 — 10).

80 *ung-much'-ul* (1 × 80).

90 *la-vual-t-o'-c'al* (10 sein 100, 100 — 10).

100 *o-c'al-al* (5 × 20).

101 *o-c'al-al-t-uc-ung-vual* (100 mit 1, 100 + 1).

110 *la-vual-i-vuaj-c'al* (10 sein 120).

120 *vuaj-c'al-al* (4 × 20).

130 *la-vual-i-vuj-c'al* (10 sein 140).

140 *vuj-c'al-al* (7 × 20).

150 *la-vual-i-vuaxaj-c'al* (10 sein 160).

160 *vuaxaj-c'al-al* (8 × 20).

170 *la-vual-i-bele-c'al* (10 sein 180).

180 *bele-c'al-al* (9 × 20).

190 *la-vual-i-la-c'al* (10 sein 200).

200 *la-c'al-al* (10 × 20) oder *ca-vual-ciento* (2 × 100).

220 *jun-la-c'al-al* (11 × 20) oder *ca-vual-ciento-ung-vuinkil*
(2 × 100 + 20).

230 *la-vual-i-cab-la-c'al* (10 sein 240).

240 *cab-la-c'al-al* (12 × 20) oder *ca-vual-ciento-ca-vuinkil* (2 ×
100 + 40).

260 *ox-la-n-c'al-al* (13 × 20) oder *ca-vual-ciento-t-uc-oxc'al-al*
(2 × 100 + 60).

280 *câ-la-n-c'al-al* (14 × 20) oder
ca-vual-ciento-t-uc-ung-mu'ch-ul (2 × 100 + 80).

300 *ô-la-n-c'al-al* (15 × 20) oder *ox-vual-ciento* (3 × 100).

320 *vuaj-la-n-c'al-al* (16 × 20) oder
ox-vual-ciento-t-uc-ung-vuinkil (3 × 100 + 20).

340 *vuj-la-n-c'al-al* (17 × 20) oder
ox-vual-ciento-t-u-ca-vuinkil (3 × 100 + 2 × 20).

360 *vuaxaj-la-n-c'al-al* (18 × 20) oder
ox-vual-ciento-t-uc-ox-c'al-al (3 × 100 + 3 × 10).

380 *bele-la-n-c'al-al* (19 × 20) oder
ox-vual-ciento-t-uc-ung-much'ul (3 × 100 + 80).

400 *vuinkil-an-c'al-al* (20 × 20) oder *caj-vual-ciento.*

420 *vuinaj-un-ul-an-c'al-al* (21 × 20).

440 *vuinaj-ca-vual-an-c'al-al* (22 × 20).

460 *vuinaj-ox-l-an-c'al-al* (23 × 20).

480 *vuinaj-ca-l-an-c'al-al* (24 × 20).

500 *vuinaj-o-l-an-c'-al-al* (25 × 20).

520 *vuinaj-vuaj-il-an-c'al-al* (26 × 20).

540 *vuinaj-vuj-l-an-c'al-al* (27 × 20).

560 *vuinaj-vuaxaj-il-an-c'al-al* (28 × 20).

580 *vuinaj-bele-l-an-c'al-al* (29 × 20).

600 *vuinaj-la-vual-an-c'al-al* (30 × 20).

4*

620 *vinaj-jun-la-vual-an-c'al-al* (31 × 20).
640 *vinaj-cab-la-vual-an-c'al-al* (32 × 20).
660 *vinaj-ox-la-vual-an-c'al-al* (33 × 20).
680 *vuinoj-ca-la-vual-an-c'al-al* (34 × 20).
700 *vinaj-o-la-vual-an-c'al-al* (35 × 20).
720 *vuinaj-vuaj-la-vual-an-c'al-al* (36 × 20).
740 *vuinaj-vuj-la-vual-an-c'al-al* (37 × 20).
760 *vinaj-vuaxaj-la-vual-an-c'al-al* (38 × 20).
780 *vuinaj-bele-la-vual-an-c'al-al* (39 × 20).
800 *ca-vuinkil-an-c'al-al* (40 × 20).[1]

Vergleicht man nun dieses Zahlsystem des Ixil mit demjenigen anderer Maya-Sprachen, so fällt zunächst auf, dass die Zahlen von 1—10 (für 6 und 8 vgl. Anmerkung S. 49) mit dem Suffix *vual* verbunden erscheinen, das im Zahlsystem der übrigen Maya-Sprachen kein Analogon zu haben scheint.

Es liegt nahe, dieses *vual* in Parallele zu setzen mit *vinkil* und *c'al* (erweitert *c'alal*), welches 20 bedeutet, und mit *mu'ch* (erweitert *mu'chul*), welches für je 80 die Einheit bildet. *C'al* sowol als *mu'ch* haben oder hatten ursprünglich concrete Bedeutungen. *C'al* bedeutet noch heute in der Aguacateca-Sprache „die Klafter“, und *mu'ch* war in den Quiché-Sprachen „die Handvoll Maiskörner“. *Vuinkil* hat die Bedeutung von „Mensch“ erhalten, weil er alle 20 Einheiten, die zehn Finger und zehn Zehen, in sich vereinigt.

So hat auch *vual* wol einst eine concrete Bedeutung gehabt und stellt einen alten Rest dar aus einer Zeit, wo die Sprache noch nicht im Stande war, den Zahlbegriff vom gezählten Object zu trennen, sondern beide stets zusammen

---

[1] Ich hatte bei meinem Aufenthalt in Nebaj das Zahlsystem bis auf 1000 fortgesetzt. Die Analyse der von 820—1000 erhaltenen Ausdrücke zeigt jedoch, dass dieselben auf unrichtiger Rechnung beruhen und andere als die genannten Ziffern ergeben, was ich beim Aufnotiren übersah. So erhielt ich z. B. für 1000 das Wort *la-vual-t-ox-lan c'al*, d. h. 10 gegen 260 hin, also 250. Die heutigen Indianer sind nicht mehr so gewöhnt, mit grossen Ziffern umzugehen wie ihre Vorfahren es waren.

nannte, ein Stadium, welches die überwiegende Mehrzahl der Maya-Sprachen längst überschritten hat. Als letzte Reste desselben sind wol Formen wie *juna*, das Jahr (wörtlich: 1 Jahr), im *Cakchiquel* zu betrachten, welches häufig als ein Begriff von der Sprache behandelt wird, sodass man oft zählt: *jun juna*, ein Jahr, *cai juna*, zwei Jahre, statt *jun a*, *cai a* u. s. w. Dahin gehören wol auch die Formen *jenaj* und *janaj* für eins im *Pokonchí* und *Pokomam*, welche ebenso enge Verbindungen des Stammes *jun* mit dem Suffix *oj* darstellen, das nur in Compositionen vorkommt und „der Mensch" bedeutet. Man sagt also im *Pokonchí*: *jen-aj po*, ein Monat, wie man im *Lxil* sagt: *ung-vual i'ch*.

Vual nun ist bereits eine derivirte Form, bestehend aus einem Stamme *u* und dem Suffix *al (u-al)*. Sie findet ihr vollkommenes Aequivalent im *j-au-al* und *r-c-j-au-al* des Pokonchí; z. B. *r-c-j-au-al i-sib*, „viel (der) Rauch". *J-au-al* aber ist ein aphäretisches *aj-au-al*, „dasjenige, was dem Vater *(aj-au* im Pokonchí) gehört". Das *u* in *rual* ist also ein durch Aphäresis verkümmertes *uj-au*. (Vgl. *nimla vual-e*.)

Interessant sind Bildungen wie 70 und 90 *(la-rual i-mn'ch* und *la-vual-t-o-c'al)*, wo die Ziffer, von der noch 10 abgezogen werden sollen, mit dem Pron. possess. erscheint, also „10 sein (nämlich des gezählten Objects) 80"; „10 sein 100". In diesen Bildungen erscheint dann auch die Zwanziger-Einheit *c'al* stets einfach, während sie in ihren ganzen Vielfachen stets mit dem Nominalsuffix *al* verbunden ist *(c'al-al)*.

In den zusammengesetztern Ziffern, von 260 an, tritt ein *n*, in einigen derselben sogar *an* auf, welches offenbar lediglich den Zweck einer euphonischen Vermittelung zwischen den Consonanten *l* und *c* hat, und an und für sich nichts bedeutet.

Ueber die Conjunction *tuc*, „mit", welche in einigen Zahlen auftritt (z. B. 101, 260 u. s. w.) siehe S. 68.

Von 200—380 findet sich neben der ältern, echt indianischen Zählweise die vielfach gebrauchte moderne Form ange-

geben, um zu zeigen, in welcher Weise die Sprache des
Eroberervolkes die indianische bereits beeinflusst hat. Es ist
vorauszusehen, dass über kurz oder lang diese moderne Form
die einzig gebräuchliche bei den Ixiles werden wird.

Die **Distributivzahlen** werden durch Verdoppelung der
Stammsilbe gewonnen und bilden mit Ausnahme von *jun-un*
eine Art collectiver Nomina auf *-il*.

jun-un, jeder, *junun-i-junun*, von 1 zu 1; je einer.
ca-cab-il ca-cab-il, je zwei; von 2 zu 2.
ox-ox-il ox-ox-il, je drei; von 3 zu 3.
ca-ca-il ca-ca-il, je vier; von 4 zu 4.
o-l-il o-l-il, je fünf; von 5 zu 5.
vuaj-a-chaj-il vuaj-a-chaj-il, je sechs; von 6 zu 6.
vuj-ul-vuil vuj-ul-vuil, je sieben; von 7 zu 7.
vuaxaj-il vuaxaj-il, je acht; von 8 zu acht.
belu-chaj-il belu-chaj-il, je neun; von 9 zu 9.
la-la-vuil la-la-vuil, je zehn; von 10 zu 10.

Der Stamm *chaj*, der in einigen dieser Formen *(vuaj-a-
chaj-il* und *belu-chaj-il)* auftritt, scheint mit dem *cha'k* in
cha'k-na'k, „sie", „jene", identisch zu sein. Vgl. z. B. *ca-vual
cha'k-na'k*, „sie zwei" (siehe S. 44).

Wo die Wurzel *ca*, „zwei", im Ixil abgeleitete Formen
bildet, wie *cabil*, erscheint das *b* wieder, welches sie in einigen
Maya-Sprachen, z. B. in der *Maya-*, *Chol-* und *Cakchiquel-*
Sprache verloren hat, während sie es in andern, wie im *Tzen-
tal*, dem *Chañabal*, *Quekchi*, *Pokonchi*, dem *Quiché* und der
Aguacateca auch als einfaches Stammwort noch beibehielt.

Zu den abgeleiteten Formen gehören noch einige andere,
wie *jun-al*, zusammen; z. B. *cu-jun-al-cux-vuet-e*, wir wollen zusammen gehen. Ferner *cab-il*, beide, *cu-cab-il*, wir beide zusammen; *ma-ex s-e-cab-il*, ihr beide oder zu zweien; *nuk'a-
nah-c x-cab-il*, sie beide.

Für „alle" wird *cajayil* gebraucht; z. B. *cajayil uuk'a txe*,
alle Bäume; *cu-cajayil o-be-x-k-ila* (für *ben-s-k-ila*), wir alle

gingen zu sehen; *ma-cajayil-ex be-x-et-ila* (für *ben-s-et-ila*).
ihr alle giugt zu sehen. *Cajay-il* ist in seiner Herleitung nicht
ohne weiteres klar, indessen ist es wahrscheinlich, dass in
ihm das Radikal *cah*, der Maya: „sich irgendwo befinden“,
stecke. und dass es mit dem von diesem abgeleiteten Maya-
Nomen *cah-il*, das Dorf, d. h. die Bevölkerung des Dorfes,
identisch sei. *Cajay-il* würde alsdann bedeuten: „Die ganze
Bevölkerung, alle Bewohner des Dorfes“, „todo el pueblo“.

Das „Mal“ heisst *paj-ul:* „einmal“, *un paj-ul;* „wie viele
male“, *hat puj ul.*

Zur Bezeichnung der „Hälfte“ wird der Stamm *pococh*
gebraucht, der den Raum zwischen zwei Gegenständen bezeichnet (*t-i-pococh*, zwischen ihnen), dann aber auch „halb“; z. B.
cat pococh i'ch, der Mond ist halb voll; *oxvual-tuc-un-pococh-t-e*.
drei ein halb, wörtlich: drei mit einer Hälfte von jenem. Nach
Analogie der Distributivzahlen bildet auch *pococh* eine Ableitung mit dem Suffix -*il*: *pococh-il*. die Hälfte, die Mitte.

DAS VERBUM.

Pimentel nennt die Conjugation der dem Ixil nächstver-
wandten Sprache, des Mame, „sumamente complicada“. Obwol sich nun das Ixil nicht völlig zu der Complicirtheit der
von Reynoso für das Mam gegebenen Verbalformen erhebt,
so bietet es der sprachlichen Analyse doch immer noch
Schwierigkeiten genug. Ueberdies wird die Sache dadurch
nicht unbedeutend erschwert, dass die Indianer in der Ueber-
tragung ins Spanische, welche sie von den indianischen Zeit-
formen geben, keineswegs consequent sind, sondern häufig für
dieselbe Wortform ein Präsens und ein Präteritum, oder ein
Präsens und ein Futurum in der Uebersetzung geben. Die
Analogie mit den Nachbarsprachen hilft beim Ixil wenig, da
die Ixil-Conjugation in den meisten Punkten morphologisch
von jenen ganz erheblich abweicht.

Der allgemeine Typus der Ixil-Conjugation stimmt mit demjenigen der übrigen Maya-Sprachen überein. Die Verbalstämme werden ursprünglich als Nomina aufgefasst und demgemäss in der Mehrzahl der Formen mit dem Pron. possess. verbunden. Wo dies nicht der Fall ist, treten sie in Verbindung mit dem Pron. subst. pers. in seiner Suffixform auf.

Indessen ist die Ixil-Sprache doch ebensowenig wie ihre Verwandten auf dieser Stufe stehen geblieben, sondern hat eine Anzahl von Elementen herausgebildet, welche grösstentheils in engster Beziehung zum Verbo-Nomen stehen, sozusagen nur noch für dieses existiren und mit ihm zusammen Ausdrücke bilden, die sich in bestimmter Weise vom blosen Nomen unterscheiden und echt verbalen Bildungen nähern. Dahin gehören gewisse Partikeln, welche theilweise für sich wieder polysynthetische Formen darstellen und stets als Präfixe zur Tempusbezeichnung an den Verbo-Nominalstamm herantreten; dahin gehören ferner gewisse Suffixe, welche dem Verbo-Nomen eigenthümlich sind, dem einfachen Nomen aber fehlen, während andere Suffixe wieder dem Nomen und Verbo-Nomen gemeinsam sind.

Das Ixil-Verb besitzt eine 1., 2. und 3. Pers. des Sing. und Plur.; ein Dual und Formen eines Plur. exclus. fehlen ihm, wie den Maya-Sprachen überhaupt. Diese Personen werden entweder durch das dem Verbo-Nomen präfigirte Pron. possess. der betreffenden Person, oder durch das demselben suffigirte Pron. pers. ausgedrückt. Es sind diese Fälle, wenigstens logisch, zu trennen von denjenigen, wo das persönliche Verbalobject als suffigirtes Pron. pers. auftritt.

Zeiten. Durch Verbindung mit den Pron. pers., demonstr. und possess. bildet das Verbo-Nomen des Ixil zwei einfache Zeiten, nämlich

1) eine solche, welche sich auf die Gegenwart und die nächste Zukunft bezieht und durch Suffigirung des Pron. substant. an den nackten Stamm gebildet wird; z. B. *mat-in.* ich gehe oder werde gehen, *ben-o*, wir gehen oder werden gehen;

2) eine solche, welche die Vergangenheit des Verbal-inhaltes ausdrückt. Sie wird durch Präfigirung des Pron. possess. und Erweiterung des Stammes durch das Suffix *e* hergestellt; z. B. *t-ul-e*, ich bin gekommen, *t-ul-e*, er kam.

Indessen kommen diese einfachen Formen im gewöhnlichen Sprachgebrauche selten vor. und selbst der Imperativ wird blos in bereits abgeleiteten Zeitwörtern vom nackten Stamm gebildet; z. B. *tzesa*, verbrenne, *acsa*, benetze.

In der Regel erscheint daher das Verbo-Nomen mit präfigirtem Possessivpronomen oder suffigirtem Personalpronomen in Begleitung von gewissen Partikeln, welche die temporalen und modalen Beziehungen des Verbalinhalts genauer bestimmen. Diese Partikeln sind die folgenden: *n. nic. tuc. la, cut, cuet, ma. moj. ba.*

n und *nic* beziehen sich auf die Gegenwart, sie deuten die Dauer des gegenwärtigen Zustandes an; z. B. *nic-un-sa n-xvaqu-e*. ich liebe dieses Mädchen; *nic-un-chaj ung-tzi*, ich schweige u. s. w. (wörtlich: ich halte meinen Mund an). Auf *nic* folgt das Pron. possess. oder das Nomen verbale auf *-n*.

tuc und *la* beziehen sich vornehmlich auf die Zukunft.

tuc, eine Zusammensetzung, die uns später beschäftigen wird, erscheint fast ausschliesslich mit der 1. Pers. Sing., gewöhnlich gefolgt von dem mit einem Possessivpronomen construirten Verbo-Nomen, seltener in Verbindung mit einem Nomen verbale auf *n*; z. B. *in tuc ban-un*, ich werde machen, *in tuc tz'is-on*, ich werde nähen, *in tu(c)c'amon*, ich werde leihen. *Tuc* scheint die Absicht des Subjects auszudrücken, den Verbalinhalt auszuführen.

la kann sich mit allen Personen des Verbums verbinden, und zwar sowol mit solchen Verbo-Nominalstämmen, welche mit den Possessivpronomina construirt sind, als mit solchen, welchen das Pron. person. suffigirt ist, als endlich mit Nomina verbalia auf *n*. Mit *la* wird der Inhalt des Verbo-Nomens in die Zukunft verlegt; z. B. *nic-un-sa la ru-echbn n-a*. ich will Wasser trinken; *o la ul-o*. wir werden wiederkommen.

cat bezieht sich stets auf die Vergangenheit und kann sowol mit activen und passiven Participien (*cat cu-banlu*, wir haben gemacht, *cat banxiya*, es ist gemacht worden), als mit Verben in Verbindung mit dem persönlichen oder possessiven Pronomen construirt werden.

Die Partikel *vuet*, welche nicht zur regelmässigen Conjugation gehört, bedeutet gewöhnlich den vollständigen Abschluss der Verbalthätigkeit; z. B. *atsʼam-vuet-e*, es ist schon gesalzen, *cat jachbi-vuet-e*. es ist schon vertheilt, *at-vuet-cu-yol*, wir haben es schon gesagt. d. h. es bleibt dabei (wörtlich: es ist schon unser Wort).

ma und *moj* geben der Phrase die Form der Frage; z. B. *mu mat-unkʼanahe?* gehen sie? *moj at a-pua?* hast du Geld? Und da die Form der Frage nebst derjenigen des Befehls sozusagen die ausschliessliche ist, in der sich der Indianer an eine oder mehrere zweite Personen wendet, so ist es begreiflich, dass die Pron. person. stets mit der einen oder andern dieser Partikeln erscheinen und mit ihnen gewissermassen einen einheitlichen und, für den Indianer wenigstens, unzertrennlichen Complex bilden. Die im Folgenden in der Aussageform gegebenen Beispiele sind daher für die 1. und 2. Pers. Sing. und Plur. eigentlich Fragen.

In Verbindung mit *la* dienen *ma* und *moj* zur Wiedergabe eines Wunsches oder Befehls. *Ma ye la banc*, thue es nicht, *ma ec chit la e-banc*. so sollt ihr es machen.

Ueber *moj* vgl. auch S. 96 und 97.

Die Partikel *ba*, seltener *baj*, wird im Ixil suffigirt und bezeichnet die Aufforderung, den Wunsch oder den directen Befehl, weshalb sie am häufigsten mit den Imperativstämmen sich verbindet; z. B. *kos-ba*, schlage, *tsa-sa-ba*, lösche aus.

Ihre Herleitung ist zur Zeit noch dunkel.

Von den genannten Partikeln gehören *n* und *nic*, *tuc*, *la* und *cat* gewissermassen als ständige Glieder zur Conjugation, während die übrigen mehr blos gelegentlich zum Ausdrucke gewisser Nuancen des Satzinhaltes gebraucht werden. Indessen ist die Anwendung der erstgenannten, regelmässig gebrauchten Partikeln mit Ausnahme von *cat*, welches sich stets auf die Vergangenheit bezieht, keineswegs immer so bestimmt, dass sie an und für sich eine ausschliessliche Tempusform bezeichneten. Am meisten schwankt ihre Anwendung zwischen Gegenwart und Zukunft, wenn es auch sicher ist, dass *nic* sich vorwiegend auf die dauernde Gegenwart, *tuc* und *la* dagegen eher auf die Zukunft beziehen. Um aber nicht die diesen Ixil-Partikeln innewohnende Unbestimmtheit unnatürlicherweise zu verwischen, habe ich es vorgezogen, statt der präcisen Ausdrücke von Präsens, Futurum und Präteritum, in mehr neutraler Weise die Constructionen mit den fraglichen Partikeln einfach aufzuführen.

can bedeutet wie im Cakchiquel, dass die Handlung des Zeitwortes von dauerndem Effect sein soll; z. B. *a'k can tzitzi*. bring es dorthin und lass es dort; *cat banla can un-yol*. ich habe es nun gesagt und dabei bleibt es.

Die Partikel *can* ist im Ixil weit weniger ausgiebig im Gebrauch als im Cakchiquel. Ihre Herleitung ist nicht mit Sicherheit zu geben; am ungezwungensten wird sie mit dem Ixil-Stamme *ca*, welcher „an einem Orte bleiben" bedeutet, in Verbindung gebracht. Sie würde alsdann ein Nomen verbale auf *n* von diesem Stamme sein.

tan bezeichnet den gegenwärtigen Augenblick als den Zeitpunkt der Verbalthätigkeit „jetzt, gerade jetzt"; z. B. *cam ban el tan?* wie geht es dir jetzt? *tan at va-a'kon*, ich habe jetzt zu thun (wörtlich: es gibt meine Arbeit jetzt).

tan ist aus dem Ixil allein nicht zu erklären und wird später bei der analytischen Behandlung des Cakchiquel ausführlicher zur Sprache kommen. (Vgl. Wortverzeichniss.)

Modi. Es sind von solchen blos der Indicativ und der Imperativ mit Deutlichkeit zu unterscheiden, welch letzterer aus dem nackten Stamm oder aus diesem mit Suffixen bestehen kann. Eine optative Aussageart wird mit besondern Partikeln hergestellt; vgl. *oj* und *os-oj* S. 96 und im Wortverzeichniss.

Activum und Passivum. Der Verbalinhalt wird vom Ixil mit Vorliebe activ aufgefasst und eine passive Form der Conjugation, wie eine solche in den Quiché-Sprachen vorkommt (vgl. z. B. im Cakchiquel *n-i-cami-sa-j*. ich tödte [trans.] *ngu-i-cami-sa-x*. ich werde getödtet), scheint im Ixil wenig gebräuchlich zu sein. Indessen existiren in diesem doch ein paar Suffixe, nämlich *xi* und *bi*, welche dem Verbo-Nominalstamme passive Bedeutung verleihen und namentlich eine Art von Nom. verb. pass. bilden helfen, welche sich auch als Subject mit dem Präfix der vergangenen Zeit zu einer präteritalen Tempusform verbinden können. (Vgl. S. 73.)

Transitives und intransitives Zeitwort. Es wird, soweit ich wenigstens aus meinem Materiale schliessen kann, vom Ixil kein morphologischer Unterschied gemacht zwischen transitiven und intransitiven Verben, und es gibt ausser *etz* (S. 39) und *atz* und allenfalls deren apokopirten Formen *e* und *a* keine Suffixe, welche die beiden Kategorien scharf trennen würden.

Je nachdem der Verbo-Nominalstamm vocalisch oder consonantisch anlautet, wird derselbe mit den vor vocalisch oder consonantisch anlautenden Nomina überhaupt gebräuchlichen Pron. possess. verbunden, welchen zur nähern Zeitbestimmung noch die oben erwähnten Partikeln präfigirt werden.

Construction mit *u* und *nic*.
(Vorwiegend durative Bedeutung.)

1. Beispiel eines consonantisch anlautenden Verbo-Nominalstammes.

sa, wollen, begehren (übertragen auch „lieben").

Sing. 1. Pers. *nic-un-sa* oder *n-un-sa*, ich will.

  2.   „   *nic-a-sa* oder *n-a-sa*   u. s. w.

  3.   „   *ni-qu-i-sa* oder *n-i-sa*

Plur. 1.   „   *nic-cu-sa*, contrahirt: *ni-cu-sa*

  2.   „   *(niqu-e-sa?)*   „   *n-e-sa*

  3.   „   *niqu-i-sa* oder *n-i-sa*.

2. Beispiel eines vocalisch anlautenden Verbo-Nominalstammes.

ok'e. weinen.

Sing. 1. Pers. *ni-ru-ok'e,* ich weine.
      2. „ *n-ok'e* u. s. w.
      3. „ *ni-t-ok'e.*
Plur. 1. „ *ni-k-ok'e*
      2. „ *n-et-ok'e*
      3. ., *ni-t-ok'e.*

Der Wechsel des Präfixes zwischen blossem *n* und *nic*
scheint vollkommen willkürlich zu sein, dagegen habe ich die
Form *ni-qu-e-sa* nie gehört, sondern *n-e-sa.*

Auf den ersten Anblick erscheint dieses Präfix *n* und noch
mehr *nic* eine frappante Uebereinstimmung mit der 1. Pers.
Sing. in einer vom Ixil grundverschiedenen Sprache, nämlich
dem Nahuatl, zu zeigen (z. B. *ni-chihua,* ich mache, *ni-c-mati,*
ich weiss es), wo das *c* das incorporirte stellvertretende Pronomen 3. Pers. Sing. in der activen Form der transitiven
Verben darstellt (*ni-c-chihua in tlaxcalli,* ich (es) mache das
Brot, ich backe). In der That hat auch Herr H. de Charencey
in einer kürzlich veröffentlichten werthvollen Studie über die
Conjugation der Maya-Sprachen[1] eine ähnliche Form des Mame
als Adoption einer grammatischen Form aus dem Mexicanischen zu erklären versucht.

Für das Ixil wäre eine derartige Erklärung nicht zulässig,
denn es lässt sich der Nachweis führen, dass das Präfix *nic,*
welches vielleicht schon eine polysynthetische Verbindung *n-ic*
darstellt, noch selbständig vorkommt und zwar als adverbiale
Zeitbestimmung in der Bedeutung von „jetzt, gegenwärtig";
z. B. *niqu-i-cu-jabal,* wir werden jetzt verregnet (wörtlich: jetzt
unser Regen), analog der Form für die Vergangenheit, *cat cu-
jabal s-ak'bal,* gestern nachts wurden wir verregnet, wörtlich:

---

[1] *H. de Charencey,* De la conjugaison dans les langues de la famille
Maya-Quichée (Louvain 1885). p. 110.

es war unser Regen gestern nachts. Es entsprechen diesen
Bildungen mit *nic* am besten die spanischen mit *estar*, unbe-
schadet der Ungleichwerthigkeit der einzelnen Elemente im
Spanischen und Ixil: „nos está lloviendo", wie auch die Indianer
obigen Ausdruck übersetzen.

Dass das *c* in *nic* nicht etwa eine incorporirte Pronomi-
nalform ist wie das mexicanische, geht aus einigen dem Sinne
nach intransitiven Verbalformen deutlich hervor; z. B. *nic-un
ch'one*, ich bin krank.

Seltener wird die vollständigere Form *nic* statt blosem
ni vor vocalisch anlautenden Verbo-Nominalstämmen gebraucht;
z. B. *nic-eu-asub-c*. ich gähne, *nic-t-asub-c*. er gähnt.

Ueberhaupt wird mit Ausnahme der 1. Pers. Sing. die
abgekürzte Form *ni* und *n* häufiger gebraucht als die vollständige *nic*.

Construction mit *cat*.
(Ausschliesslich präteritale Bedeutung.)

Das Vergangensein irgendeines Verbalinhaltes wird angedeutet durch die Verbindung des Präfixes *cat* mit dem Verbo-
Nomen, welches in drei Formen auftreten kann, nämlich: ·

1) in der gewöhnlichen, mit dem präfigirten Possessivpronomen verbundenen Form. Es wird jedoch in der Regel bei
dieser Form vom Stamme mit dem Nominalsuffix *l* ein Nomen gebildet und dieses durch ein suffigirtes *a* noch erweitert.
Zuweilen werden letztern noch zu grösserer Deutlichkeit die
Substantivpronomina angehängt; z. B. *cat k-al-l-a o*. wir sagten;

2) ohne präfigirtes Possessivpronomen, dagegen mit suffigirtem Pron. substant. In dieser Form schiebt sich noch ein
y zwischen den Verbo-Nominalstamm und das suffigirte Pronomen ein; z. B. *cat ch'au-y-in*, ich ass;

3) als eine Art von Particip. perf. pass. Sie enden sämmtlich auf *iya* oder *ia* und bilden mit dem Präfix *cat* zusammen
eine Art von Tempus perfectum; z. B. *cat ban-xi-ya*, es ist gethan, ya está hecho; *cat atz'mi-l-iya*, es ist gesalzen.

Zur Illustration dienen folgende Paradigmata:

Ia. Beispiel eines vocalisch anlautenden Verbo-Nominalstammes mit präfigirtem Pron. possess.:

al, sagen.

cat vu-al-l-a[1], ich sagte.

cat al-l-a   u. s. w.

cat (t)al-l-a

cat k-al-l-a o

cat et-al-l-n-ex

cat t-al-l-a unk'a-nah-e.

Ib. Beispiel eines consonantisch anlautenden Verbo-Nominalstammes mit präfigirtem Pron. possess.:

c'ay, verkaufen.

cat un-c'ayi-l-a, ich verkaufte.

cat a-c'ayi-l-a   u. s. w.

cat i-cayi-l-a

cat eu-c'oyi-l-a

cat -c'ayi-l-a

cat i-c'ayi-l-a.

Nicht selten wird das Schluss-*a* zu -*e* abgeschwächt; z. B. *cat eu-oya-l-a* und *cat eu-oya-l-e*, ich schenkte.

Am richtigsten werden diese Bildungen wol als activ-participiale (erweiterte Nomina auf *l*) aufgefasst, wenn sie auch nicht die Selbständigkeit der sub III zu erwähnenden activen Part. perf. activ. besitzen, sondern stets in obiger Form auftreten.

II. Beispiel eines Verbalstammes mit suffigirtem Pron. subst.:

ch'an, essen.

Sing. 1. Pers. *cat ch'an-y-in*, ich ass.

     2. „   *cat ch'an-y-ax*   u. s. w.

     3. „   *cat ch'an-y-u-nah-c.*

---

[1] Die beiden *l* werden nicht getrennt gehört, sondern bilden einen einzigen verschärften, dem deutschen Doppel-*l* entsprechenden Laut.

Plur. 1. Pers. *cat ch'an-y-o*

2. „ *cat ch'an-y-ex*

3. „ *cat ch'an-y-u chak'nak.*

Wahrscheinlich ist diese Construction als eine passive auf-zufassen, bestehend aus *cat* und dem (abgekürzten) l'art. perf. pass. auf *yu* (S. 75), welchem das Pron. pers. in Genitivstellung suffigirt ist: *cat ch'an-y-in* (für *ch'anya in*), „schon ist das Ge-gessenwordensein von mir", d. h. „ich ass oder habe gegessen".

III. Beispiel der Bildung eines Perfectums mittels der Partikel *cat* und activer und passiver Participial-formen.

a) Mit activem Participium.

tzej-l-el-e, weggeworfen haben.

cat un-tzej-l-el-e, ich habe weggeworfen.

cat a-tzej-l-el-e u. s. w.

ban-l-u, gemacht haben.

cat un-ban-l-u, ich habe gemacht.

cat a-ban-l-u u. s. w. u. s. w.

Hierher gehört auch die Verbindung von *cat* mit dem Nomen verbale auf *n*; z. B.:

cat el-sa-n, er hat es herausgenommen.

cat lok'o-n, er hat es gekauft.

cat bano-n oder *banu-n*, er hat es gemacht.

b) Mit passivem Participium:

Von *muj*, beerdigen; z. B. *cat muj-l-ia*, er ist beerdigt; *cat moch-y-ia*, es ist fertig, von *moch*, fertig machen.

Diese Form hat kein Pronomen als Präfix.

Was nun die Partikel *cat* anbelangt, welche in den bisher gegebenen Beispielen das Präteritum bilden hilft, wurde bereits früher (S. 48) darauf hingewiesen, dass dieselbe offenbar ein Compositum darstellt aus *ca*, „bleiben", und dem Verbalstamme *at*, welcher zur Bildung von mancherlei Formen verwendet wird, dem aber stets die Bedeutung von „irgendwo sein, sich

befinden" innewohnt. Aus der Bedeutung „irgendwo sein"
leitet sich dann im weitern der Begriff „im Besitz jemandes
sein" ab. Es deckt sich die Bedeutung von *at*, das in seiner
Gesammtheit später untersucht wird, grossentheils mit derjenigen von *c'oj* in den Quiché-Sprachen und mit *estar* und
hay im Spanischen.

Die Partikel *c* oder *ca* hat im präteritalen *cat* offenbar
jede Locativbedeutung verloren und dafür eher eine temporale erlangt, im Sinne von „schon, bereits", und *ca-t i-banu*
würde z. B. bedeuten: „schon ist sein Gemachthaben", „ya
está su hechura" (activ); *ca-t ban-xi-ya*, „schon ist das Ge-
machtwordensein", „ya está hecho".

Eine eigenthümliche Modification kann die Tempusform
der Vergangenheit durch Einschiebung der Silbe *moch* zwischen die Partikel *cat* und den Verbo-Nominalstamm er-
leiden; z. B.:

o cat moch k-yiy-y-o. wir sind gewachsen, von *yiy*, wachsen.

o cat moch sos-y-o s-cu-cul, wir haben vergessen, von *sos*, vergessen.

o cat moch col-o, wir sind müde geworden, wörtlich: wir sind
fertig mit laufen, vom Stamm *colc*, rennen (we have
done running).

o cat moch k'aban-y-o, wir haben uns betrunken.

Dieses *moch* ist offenbar der Stamm *moch*, „vollenden",
„fertig machen", und diese Formen stellen einen Zustand als
gegenwürtig fertiges Resultat einer vergangenen Thätigkeit dar:

o cat moch k-yiy-y-o heisst: wir sind fertig gewachsen und
daher jetzt erwachsen.

o cat moch k'aban-y-o: wir haben fertig getrunken und sind
daher jetzt betrunken, nous avons fini par nous rendre
ivres.

Construction mit *la* und *tuc*.

Um die zukünftige Zeit eines Verbalinhalts anzudeuten,
dienen im Ixil zwei Partikeln, *la* und *tuc*. Von diesen ist *la*

die häufigere. Ihre Stellung ist die eines Präfixes, das in jedem Falle vor dem Verbo-Nominalstamm, sei er allein oder mit suffigirtem Pronomen verbunden, zu stehen hat.

Wenn aber der Verbo-Nominalstamm mit einem Possessivpronomen verbunden ist, so wird *la* diesem vorangestellt; z. B. *o la cu-ban-e*, wir werden thun.

La kann auf diese Weise verbunden erscheinen:

1) Mit Verbo-Nomina, welchen das Possessivpronomen in gewöhnlicher Weise präfigirt ist; z. B.:

a) mit vocalisch anlautendem Stamm:

la vu-elk'a, ich stehle, will oder werde stehlen.
la elk'a   u. s. w.
la t-elk'a
la k-elk'a
la et-elk'a
la t-elk'a.

b) mit consonantisch anlautendem Stamm:

la un-lok'e, ich werde kaufen.
la a-lok'e   u. s. w.
la i-lok'e
la cu-lok'e-o
la e-lok'e-ex
la i-lok'e-unk'a-nah-e.

2) Mit Verbo-Nomina, welchen das Personalpronomen suffigirt erscheint; z. B.:

la k'aban-in, ich werde mich betrinken.
moj la k'aban-ax   u. s. w.
uru-e la k'aban-i
o la k'aban-o
maex la k'aban-ex
unk'a-nah-e la-k'aban-i.

und

la on-in, ich werde ankommen.
la on-ax u. s. w.
la on-i
la on-o
la on-ex
lo on-i.

Die Partikel *tuc*, welche ebenfalls das Futurum bilden
hilft, kann in zweierlei Weise mit dem Verbo-Nominalstamm
verbunden werden:

1) Mit Stämmen, welchen das Possessivpronomen
präfigirt ist:

a) vor vocalisch anlautendem Stamm, z. B.:

tuc vu-el-sa, ich werde herausnehmen.
tuc el-sa
tuc i-el-sa u. s. w.

b) vor consonantisch anlautendem Stamm, z. B.:

in tuc un-boch'-e, ich werde einwickeln.
ma tuc a-boch'-e
uvue tuc i-boch'-e u. s. w.

2) Mit Stämmen, welche durch die Optativpartikel *oj* erweitert und mit dem suffigirten Pron.
person. verbunden sind; z. B.:

tuc bix-oj-in, ich werde oder will tanzen.
tuc bix-oj-ax
tuc bix-oj-i u. s. w.

Vor Kehllauten, seltener vor Lauten anderer Kategorien,
wird das *c* in *tuc* häufig elidirt; z. B. *in tu cono-n*, ich werde
schiessen, *in tu c'amo-n*, ich werde leihen; aber auch zuweilen
in tu ban-un statt *in tuc ban-un*, ich werde thun.

Tuc ist eine Zusammensetzung, welche auch häufig als
Conjunction in der Bedeutung von „und, mit, verbunden
mit, zusammen mit" dient; z. B. *(s-)sakil tuc s-a'kbal*, Tag
und Nacht, *cheu tuc xamal*, Frost und Hitze (beim Fieber);
ferner bei Zahlwörtern: *oc'alal tuc ungvual*, 100 und 1.

5 *

Die Partikel *tuc* ist zusammengesetzt aus dem Pron. possess. der 3. Pers. Sing. (vor Vocalen) *t* und dem Stamme *uc*, welchem die Bedeutung „Begleiter" innewohnt, woraus dann die oben gegebenen Verwendungen von *tuc* als Conjunction in Zusammenhang stehen. *(s)sakil tuc s-a'kbal*, bei Tage und bei Nacht heisst also wörtlich: bei Tage mit seinem Begleiter, der Nacht; *oc'alal tuc ungvual* wörtlich: hundert sein Begleiter eins. Ebenso bedeuten dann die mit *tuc* verbundenen Verbalformen; z. B. *tuc un-jahe*, ich werde öffnen, wörtlich: mit meinem Oeffnen.

Dieser Stamm *uc* des Ixil ist offenbar mit dem Stamme *u'c* und *iqu'in* der Quiché-Sprachen identisch, wie folgendes Beispiel zeigt:

101 im *Ixil* von Nebaj: *oc'alal t-uc ungvual.*
101 im *Quiché* von Retalhuleu: *oc'äl r-u'c jun.*

Während aber der Stamm *uc* im Ixil im Gebrauch fast ganz auf die Form *t-uc* beschränkt ist, hat er in den Quiché-Sprachen eine vielseitigere Anwendung erfahren und wird häufig auch mit den Possessivpronomina der übrigen Personen verbunden.

Quiché:

    v-u'c, mit mir, in meiner Begleitung.
    av-u'c u. s. w.
    r-u'c
    k-u'c
    iv-u'c
    c-u'c.

Das *Cakchiquel* bildet vom Stamm *u'c* die erweiterte Form *uqu'in* oder *iqu'in*, die *Uspanteca iqu'il.*

Cakchiquel:

    vu-iqu'in yin, mit mir.
    avu-iqu'in r-at u. s. w.
    r-iqu'in ri-ja
    k-iqu'in r-oj
    iru-iqu'in r-ix
    qu-iqu'in ri-je.

Uspanteca:

> *va-iqu'-il*, mit mir.
> *ā-qu'-il*   u. s. w.
> *r-iqu'-il*
> *k-iqu'-il*
> *ā-qu'-il-ak*
> *r-iqu'-il-ak.*

Das Nomen verbale auf *n* und *m*.

Mit den Suffixen *n* und *m* werden vom einfachen Verbo-Nominalstamme Formen abgeleitet, welche man ebenfalls als nominale Bildungen betrachten kann. Wo der Stamm vocalisch endigt, wird das *n* oder *m* einfach dem Schlussvocal suffigirt (*el-sa-n*, herausnehmen, *oc-sa-m*, Kleid). Bei consonantischem Auslaut des Stammes wird dagegen das Suffix *n* mit dem Stamme durch einen Bindevocal verbunden, der am häufigsten von *o* und *u*, selten von *i* und *a*, nie aber von *e* gebildet wird.

Seiner Bedeutung nach ist das Nomen verbale auf *n* stets activ und wird daher am häufigsten von (dem Sinne nach) transitiven Verbo-Nominalstämmen gebildet.

Der Gebrauch des so gebildeten Verbalnomens ist entweder ein rein nominaler (S. 23) oder ein verbaler. In ersterm Falle kann es direct als Nomen agentis dienen (*elk'-o-n*, der Dieb). Die Formen auf *m* sind stets nominalen Gebrauchs.

In verbaler Anwendung kann es ohne weitere Zuthat als Imperativ dienen (*ch'a-o-n*, iss). Es kann aber auch in Construction mit dem selbständigen Pronomen und den Tempuspartikeln die gewöhnliche Conjugation ersetzen; z. B. *in nic ban-o-n*, ich thue, *in la ban-o-n* und *in tuc ban-o-n*, ich werde thun, *in cat ban-o-n*, ich habe gethan. Im Gegensatz zu den Quiché-Sprachen wird es dabei gewöhnlich nicht mit dem Pron. possess. verbunden.

Endlich kann das Nomen verbale als Object eines andern Verbalinhalts auftreten und alsdann eine Art von nominalem

Infinitiv bilden; z. B. *nic-un-su ch'a-o-n.* ich will essen. Es kann dabei mit dem Pron. possess. erscheinen; z. B. *nic-un-su ru-at-in,* ich will (an einem Orte) sein (vgl. S. 84).

Vom Nomen verbale auf *u* werden mit dem Suffix *al* die Nomina agentis abgeleitet, deren schon S. 23 und 24 Erwähnung geschah.

IMPERATIV.

Der Imperativ des Ixil zeigt vier Formen, nämlich

1) Den reinen Verbalstamm, dem gewöhnlich noch ein Pron. dem., Pron. person. oder ein Pron. reflex. suffigirt ist; z. B.:

2. Pers. Sing. *atzm-i,* salze es.   *ach'-in,* erzähle mir.
      yub-i, drücke.   *boch'-in,* wickle es mir ein.
      ip-a, stosse.   *rib-eb,* bücke dich.
      c'al-a, drücke.   *oya-svue,* gib es mir.
      piz-a, drehe.   *elsa-in.* nimm es mir weg.
      pax-i, zerbrich.   *lok'-in.* kaufe von mir.
      muj-a. verbirg.

2) Den Stamm mit dem Suffix *en.* Zuweilen ist das Pron. reflex. zwischen Stamm und Suffix eingeschoben. Diese Form findet sich besonders häufig bei denjenigen Verben, welche eine Bewegung bezeichnen; z. B.:

    lucb-en, erhebe dich.   *tz'ib-en.* schreibe.
    chaqueb-en, stehe still.   *el-en,* gehe hinaus.
    coxeb-en, lege dich nieder.
    kaeb-en, knie nieder.
    oj-en, fliehe.
    karu-en, kehre zurück.

Bei einigen dieser Verben pflegt die Umgangssprache der gewöhnlichen Imperativform noch das Suffix *yul* beizufügen, das stets tonlos ist und welches ich nicht analysiren kann; z. B.:

cu-cn-yul [1], steige herab.

oqu-en-yul, komme herein.

3) Den theils einfachen, theils erweiterten Stamm mit dem Suffix *ba*.

Diese Form wird, wie es scheint, hauptsächlich bei solchen Verbo-Nominalstämmen angewendet, welche ihrer Bedeutung nach stets transitiv sind; ferner bei den compulsiven Verben auf *sa*; z. B.:

il-ba, lies, von *il*, lesen.

ik'o-ba, lies zusammen, von *ik'o*, sammeln, zusammenlesen.

buk'-in-ba, reisse aus, von *buk'e*, ausreissen.

tzoqu'-in-ba, schneide ab, von *tzoqu'e*, schneiden, abschneiden.

pax-in-ba, zerbrich, von *paxi*, zerbrechen.

tzum-ba, verheirathe dich, von *tzum*, sich verheirathen.

yatz'-ba, tödte, von *yatz'e*, tödten.

kas-ba, schlage, von *kos-e*, schlagen.

saj-bi-sa-ba, bleiche, von *saj-bi-sa*, bleichen.

xet-i-sa-ba, beginne, von *xet-i-sa*, beginnen.

xjovu-i-sa-ba, erschrecke, von *xjovu-i-sa*, erschrecken.

mox-sa-ba [2], beendige, von *moch-sa*, beendigen.

Das in einigen dieser Formen incorporirte *in* ist das Pron. subst. pers. der 1. Pers. Sing. in der Dativbeziehung: „mir, für mich, mir zu Gefallen", und hat wol zum Theil euphonische Bedeutung.

ba kann auch als Verstärkung an Imperative der sub 2 erwähnten Form auf *cu* herantreten, wobei dann *n* vor dem Lippenlaut *b* zu *m* wird; z. B.:

hc-cm-ba, steige hinauf, von *hc*, hinaufsteigen.

ca-cm-ba, bleibe da, von *ca*, dableiben (quedarse).

---

[1] *cuc-en-yul* nach der gewöhnlichen Aussprache.

[2] Das *ch* des Stammes wird vor *s* in *x* verwandelt.

Das Suffix *ba* bildet stets den Schluss einer polysynthetischen Verbindung, welchem alle übrigen allfällig incorpo-
rirten Elemente, seien es Pronomina oder Nomina, vorauf-
zugehen haben; z. B.:

cu-molo-kib-ba, lass uns uns begleiten, wörtlich: unser begleiten uns mache.

el-s-i-cajal-ba, lasse ihm zur Ader, wörtlich: mache, dass
sein Blut herauskommt.

ok'sa-u-a-c-ba, blase die Flöte (*a* und *ah*, die Rohrflöte).

Hinsichtlich des Ursprungs des Suffixes *ba* kann nur ver-
muthungsweise angedeutet werden, dass dasselbe vielleicht ein
rudimentärer Rest des Stammes *ban*, „machen", sei, der auch in
seiner vollen Form vom Ixil vielfach als eine Art Hülfszeitwort gebraucht wird, besonders in Verbindung mit gewissen
spanischen Worten, für welche ein Aequivalent im Indianischen
fehlt; z. B. *cat un-banl-u perder*, ich habe verloren, *la un-ban
castigo*, ich werde ihn strafen, dann aber auch *in ni-ban-un chi*,
ich spinne, wörtlich: ich mache Garn.

ba dient auch zur Imperativbildung für die Personen des
Plurals, indessen wird bei diesen der Stamm des Verbo-Nomens
noch mit dem Pron. possess. der betreffenden Person verbunden, während dasselbe im Singular weggelassen wird; z. B.
cu-bam-ba, wir wollen thun.

Der Imperativ der Pluralformen kann auch durch das
dem Stamme suffigirte Pron. person. ausgedrückt werden; z. B.
ca-en t-otzotz, bleib (du) in deinem Hause.

$\left.\begin{array}{l} ca\ uh\text{-}ex^{[1]} \\ ca\ uh\text{-}can\text{-}ex \end{array}\right\}$ *t-et-otzotz*, bleibt (ihr) in euerm Hause.

Gewöhnlich aber werden die Imperative der Pluralformen
umschrieben und theils mit Optativpartikeln, theils vermittelst
einiger defectiver Verbalformen hergestellt; z. B.:

---

[1] Das Einschiebsel *uh* ist wol nur eine Aussprachsvariante der Optativpartikel *uj* oder *oj*. So bildet man z. B. auch vom Stamme *tze*, verbrennen,
tze-sa, verbrenne, *tzeya*, verbrannt, aber *tuc tze-uh-in*, ich will oder
werde verbrennen.

oj-unk'anahe ca u t-u-totzotz, mögen sie zu Hause bleiben.

ch'aon, iss; dagegen

ben-oj-ex ch'aon, esset, d. h. gehet essen.

ben-oj-chaknak ch'aon, sie sollen essen (gehen).

cux echbu, er soll trinken.

cux el echbu, trinket, wörtlich: gehet hinaus trinken.

4) Durch das dem (erweiterten) Stamme angefügte Suffix *co* entsteht eine Form, welche ausschliesslich für die Bitte gebraucht zu werden scheint; z. B.:

> *oya-co*, gib mir.
>
> *sosa-co*, verzeih mir.
>
> *colo-co*, bewahre mich.

Eine ungewöhnliche Form des Imperativs zeigt der Verbo-Nominalstamm *hahe*, öffnen, nämlich *hah-p-u-in*, öffne mir. Das *p* (verstärktes *b*?) scheint jedoch zum Stamme zu gehören, das intercalirte *u* dagegen ein Rudiment der Optativpartikel *uj* oder *oj* zu sein; vgl. *a-xop-u-in*, knete mich, von *xop*, kneten (machucar) und *kal-u-in*, umarme mich, von *kal*, umarmen.

Passiv-Conjugation. Die auf ein Passivum gerichteten Fragen und Beispiele wurden in activen Formen umschrieben oder mit den sogleich zu erwähnenden passiven Participialformen wiedergegeben. Eine Ausnahme hiervon macht nur der Stamm *ban*, „machen". Er bildet ein regelmässiges Passivum *ban-xi*, contrahirt *ba-xi*, „gemacht werden", „geschehen", dann auch „gesund werden". Es wird mit dem Tempuspräfix *cat* und suffigirtem Pron. pers. construirt: *cat ba-xi-in*, ich wurde gesund, *ma cat ba-xi-ax*, du wurdest gesund. Von *ban-xi* wird ein Nomen auf *l*, *ban-xi-l*, „das Gemachtwerden", abgeleitet; z. B. *cat ban-xi-l cu-yul*, „schon ist das Gemachtwerden unserer Rede", d. h. wir haben schon gesprochen.

DIE PARTICIPIEN.

Es gibt im Ixil eine Anzahl von Derivaten von Verbo-Nominalstämmen, welche in engem Zusammenhange mit der „Conjugation" stehen und die man als Participien betrachten kann. Je nach den ihnen zukommenden Suffixen lassen sich diese Participialformen in zwei Reihen sondern, nämlich in active und passive Participien.

1) Active Participien bilden die Nomina agentis auf *l-el* oder *l-el-e*, *el*, *l-u*. Die Schlussvocale *-e* in *el-e* und *u* in *l-u* scheinen das Pron. demonstr. „dieses, es" zu sein; z. B.:

xon-l-el, sich gesetzt haben: *xon-l-el-in*, ich habe mich gesetzt, ich sitze, vom Stamm *xone*, sich setzen.

tzej-l-el-e, weggeworfen haben: *cat cu-tzej-l-el-e*, wir haben es
  weggeworfen, wörtl.: schon ist unser weggeworfen haben.

tzum-l-el-e, verheirathet sein: *ixo tzumlele*, die verheirathete
  Frau, von *tzum-eb*, sich verheirathen.

con-el-e, geschossen haben, von *con*, schiessen.

ban-l-u, gemacht haben, von *ban*[1]; z. B. *cat cu-ban-l-u*, wir haben
  gemacht, wörtlich: schon ist unser gemacht haben es.

Der Form nach activ sind auch die seltenen Bildungen auf *inaj-l-u* und *inaj-l-e*; z. B. *eax-bi-naj-l-u*, sich verletzt haben, *sib-qu-inaj-l-e*, geschwollen (wörtlich: sich angeschwellt habend). Die Endung *inaj* ist eine passive Participialendung, entsprechend dem *inak* des Cakchiquel *(sipojinak = sibquinaj)*, kommt aber im Ixil, wie es scheint, nicht selbständig vor, sondern dient zur Ableitung eines Nomens auf *-l (sib-qu-inaj-l)*, welchem noch das Pron. demonstr. *u* oder *e* suffigirt wird.

2) Passive Participien sind solche auf *xi-ya*, *bi-ya*, *li-ya*, *i-ya* (mit den Ausssprachs-Varianten *ia* und *ya*).

Der Vorgang bei der Bildung dieser Participien kann ein dreifacher sein:

a) Die Passiv-Participialendung wird dem nackten Verbo-Nominalstamm angehängt; z. B.:

el-ya, weggenommen, von *el-sa*, herausnehmen.

tze-ya, verbrannt, von *tze-sa*, verbrennen.

moch-yia, fertig gemacht, von *moch*, beendigen.

b) Der Verbalstamm wird durch die Suffixe *xi* und *bi* erst passiv gemacht und ihm dann die Passiv-Participialendung angehängt; z. B.:

ban-xi-ya, gethan; z. B. *cat ban-xi-ya*, es ist schon gethan (worden).

mola-xi-ya, zusammengebracht, von *mol*, sammeln.

lok'-bi-ya, gekauft, von *lok'*, kaufen.

yatz'-bi-ya, getödtet, von *yatz'e*, tödten.

sowie von den Farbenbezeichnungen:

k'ej-bi-ya, schwarz geworden.

saj-bi-ya, weiss geworden.

chax-bi-ya, grün geworden.

k'an-bi-ya, gelb geworden.

c) Es wird vom Verbo-Nominalstamm ein Nomen auf *l* gebildet und diesem die Passiv-Participialendung suffigirt; z. B.:

elk'a-l-iya, gestohlen, von *elk'a*, stehlen.

chaj-l-iya, geschält, von *chajc*, schälen.

ik'o-l-iya, eingesammelt, von *ik'o*, einsammeln.

yubi-l-iya, zusammengepresst, von *yubi*, drücken.

paxi-l-iya, zerbrochen, von *paxi*, zerbrechen.

ccha-l-iya, gemessen, von *ccha*, messen.

elsa-l-iya, herausgenommen, von *elsa*, herausnehmen.

Die folgenden beiden Constructionen des Ixil-Verbs bedürfen noch specieller Erwähnung, nämlich diejenigen mit den Partikeln *oj* und *cuet*.

Mit *oj*. Es kann der Verbo-Nominalstamm durch das Suffix *oj* erweitert werden (vgl. S. 95); z. B.:

cat un-kos-oj-vuib, ich verletzte mich, statt *cat un-kos-vuib*.

cat a-kos-oj-eb, statt *cat a-kos-eb*.

cat i-kos-oj-tib, statt *cat i-kos-tib*.

cat cu-kos-oj-kib, statt *cat cu-kos-kib*.

cat e-kos-oj-etib, statt *cat e-kos-etib*.

cat i-kos-oj-tib, statt *cat i-kos-tib*.

Eine besondere Regel für die Anwendung dieser Form und für die Modification der Bedeutung, welche das Verbum durch

sie erleidet, ist aus meinen Beispielen nicht abzuleiten;
so viel ist ersichtlich, dass sie sich am häufigsten auf die
1. Pers. Sing. und Plur. beschränken; z. B. *kaeb-oj-in*, ich knie
nieder, *kaeb-oj-o*, wir knien nieder, aber *kaeb-ax*, *kaeb-u*.

Mit *vuet.* Dieser Partikel wohnt offenbar die Bedeutung
der Vollendung der Verbalthätigkeit im Sinne von „schon",
„bereits" *(ya)* inne; z. B.

at-vuet-cu-yol, wir haben schon gesprochen (ya lo tenemos
dicho), wörtlich: es ist schon unser Wort.

t-ul-vuet-ung-mol, mein Gefährte ist schon gekommen.

In diesem Sinne verbindet es sich mit den activen Participien; z. B.

jup-el-vuet-e, schon geschlossen habend.

cax-bi-naj-l-u-vuet-e, schon sich verletzt habend.

tzis-el-vuet-e, schon genäht habend.

pa-el-vuet-e, schon gewogen habend.

Vuet kann sich aber auch mit allen Personen des Zeitwortes in sämmtlichen Tempusformen verbinden und dabei
die Bedeutung „schon bald", „binnen kurzem", „sofort" annehmen; z. B.:

nic-vu-ach-vuet-e, ich zähle es schon, gleich.

tuc vu-ach-vuet-e, ich werde es gleich zählen (ya lo voy á
contar).

vuat-oj-vuet-in, ich gehe sofort schlafen.

tuc tzaj-oj-vuet-in, ich werde schon mager werden.

tuc coxeb-o(j)-vuet-in, ich lege mich gleich zu Bett.

cat jach-bi-vuet-e, es ist schon vertheilt.

Stets ist hierbei die Stellung des *vuet* hinter dem vollen
Verbalstamm und vor dem diesem suffigirten Pronomen.

Eine Ausnahme hiervon machen nur Constructionen, in denen
keine einfachen Verbalformen vorkommen, wie die folgende:

nojlij-vuet-in atil-in, ich bin schon nahe, wörtlich: nahe
schon mein Sein.

najlij-vnet-as atil-as
najlij-vnet-na atil-nrne
najlij-vnet-o atil-o
najlij-vnet-ex atil-ex
najlij-vnet-unk'anahe atil-unk'anahe.

Die Partikel *vnet* des Ixil zeigt so viele Aehnlichkeit mit
dem *vuit*, welches Reynoso für die Mame angibt, dass diese
beiden Formen sich wol als identisch erweisen dürften. Allerdings macht Reynoso eine reine Optativpartikel daraus; z. B.
ain-vuit-em, ojalá que yo sea, *ain-vuit-chin-xtalem*, ojalá que
yo ame, während *vuit* im Ixil als Tempuspartikel angesprochen
werden muss, der höchstens in Combination mit der eigentlichen Optativpartikel *oj* optative Wirkung zukommt.[1]

Die Cakchiquel-Grammatiker unterscheiden für das Zeitwort jener Sprache Verbos compulsivos, instrumentales, frecuen-
tativos und distributivos, welchen bestimmte Verbalsuffixe zu-
kommen. Es ist möglich, dass bei noch genauerer Bekannt-
schaft mit dem Ixil, als sie mir in der kurzen Zeit meines
Aufenthaltes in ihrem Gebiete möglich war, analoge Formen
in diesem Idiom aufgefunden werden. Aus meinem Material
tritt jedoch nur e i n e derselben mit Deutlichkeit hervor, nämlich die Verba compulsiva, welche mit der Endung *sa* (entsprechend dem *saj* des Cakchiquel) gebildet werden; z. B. *oe-su.*
anziehen, d. h. machen, dass etwas hineingeht.

> *el-su,* herausnehmen.
> *ac-su,* durchnässen.
> *saj-bi-sa,* bleichen.
> *max-sa,* beendigen u. s. w.

---

[1] Ich habe sämmtliche von Reynoso gegebene Worte und Conju-
gationsformen in Copie meinem Freunde Rockstroh geschickt, der gegenwärtig das Mam-Gebiet bereist, und ihn gebeten, dieselben womöglich
zu verificiren, resp. neu aufzunehmen. Vielleicht ist auf diesem Wege
Licht über diese bisjetzt so ungenügend bekannte Maya-Sprache zu er-
langen, bis ich selbst das Mam-Gebiet werde besuchen können.

Die Vermuthung ist wol gerechtfertigt, dass dieses Suffix *sa* mit dem Verbalstamm *sa.* „wollen", identisch sei, und dass ihm daher die Bedeutung innewohne: „die Absicht haben, dass der Verbalinhalt effectuirt werde".

DEFECTIVE ZEITWÖRTER.

Mit den im Bisherigen Erörterten glaube ich die Abwandlungen des regelmässigen Ixil-Verbums erschöpft zu haben. Es erübrigt mir noch, einige Wortstämme zu besprechen, welche den Charakter von anomalen und defectiven Verben tragen, indem entweder nur einige Formen derselben gebräuchlich sind oder die Bildung der verschiedenen Tempusformen in ungewöhnlicher Weise erfolgt. Dahin gehört in erster Linie der Stamm *at*, welchem die Bedeutung von „sich irgendwo befinden", entsprechend dem spanischen „estar" und dem *c'oj* der Quiché-Sprachen, zu Grunde liegt. Er wird in dieser Bedeutung in folgender Weise abgewandelt.

1) Der Stamm *at*, sich irgendwo befinden.

Präsens.

Sing. 1. Pers. *at-in t-u-vu-otzotz*, ich bin in meinem Hause.

    2. „ *ma at-ax t-otzotz*   u. s. w.

    3. „ *uvue at t-u-t-otzotz*

Plur. 1. „ *o at-o t-u-k-otzotz*

    2. „ *ma-ex at-ex t-et-otzotz*

    3. „ *unk'a-nah-e at t-u-t-otzotz.*

Die 3. Pers. Sing. *at*, „es ist befindlich", wird dann dazu gebraucht, um unser „besitzen, haben" auszudrücken, indem sie vor ein nacktes oder mit dem Pron. possess. versehenes Nomen gestellt wird. Häufig wird vor diese Verbindung noch das selbständige Pron. pers. gestellt; z. B.:

Sing. 1. Pers. *in at un pua*, ich habe Geld.
   2.   „   *moj at a pua*, du hast Geld.
   3.   „   *uvue at i pua*   u. s. w.
Plur. 1.   „   *o at cu pua*
   2.   „   *ma-ex at e pua*
   3.   „   *unk'a-nah-e at i-pua*.

Diese Verbindungen, welche unserm Sprachgefühl zuwider-
zulaufen scheinen, bedeuten wol: was mich betrifft, so gibt
es mein Geld u. s. w., as regards myself, there is my money.

At kann sich auch polysynthetisch mit dem Nomen der
Quantität *chit*, viel, verbinden. Es entsteht so der Complex
a-chit, welcher in gleicher Weise wie der einfache Stamm *at*
behandelt wird, *a-chit un-pua*, ich habe etwas Geld.

Mit der Fragepartikel *ma* verbindet sich *at* zu *m-at*,
gibt es? z. B. *m-at ixim?* gibt es Mais, ist Mais vorhanden?

Auch mit dem schon besprochenen Stamme *etz* kann *at*
verbunden werden; z. B.:

   at vu-etz in, ich habe, wörtlich: es gibt mein Eigenthum
        von mir.

   at etz ar, du hast.

   at t-etz uvue, er hat.

   at k-etz o, wir haben.

   at et-etz ex, ihr habt.

   at t-etz unk'anahe, sie haben.

Wenn *at* von einem andern Verbalausdruck abhängig
erscheint (entsprechend dem abhängigen Infinitiv unserer
Sprachen), so erweitert es sich zum Nomen verbale *at-i-n*, der
gewöhnlich mit dem Pron. possess. verbunden wird; z. B.:

Sing. 1. Pers. *nic-un-sa vu-at-in t-u-vu-otzotz*, ich will zu Hause
                  bleiben (quiero estar en casa).
   2.   „   *ma n-a-sa ma-at-in-ex t-otzotz*   u. s. w.
   3.   „   *uvue n-i-sa t-at-in t-otzotz*

Plur. 1. Pers. *o ni-en-sa k-at-in-o t-u-k-otzotz*

2. „ *maex u-e-sa et-at-in-ex t-et-otzotz*

3. „ *unk'a-nahe u-i-sa t-at-in t-u-t-otzotz.*

Vermittelst des Suffixes *ic*, das wir bereits bei der Präsens-bildung *(n-ic)* kennen lernten, wird die durative Form *at-ic* gebildet, welcher das „sich befinden für eine längere Zeitdauer" zu Grunde zu liegen scheint. Sie wird mit präfigirtem und suffigirtem Personalpronomen abgewandelt; z. B.:

in at-iqu-in t-u vu-otzotz. ich bin, war, werde sein (für einige Zeit) zu Hause. [1]

ma at-ic-ax t-u-otzotz   u. s. w.

ma urue at-ic t-u-t-otzotz

o at-ic-o t-u-k-otzotz

ma-ex at-iqu-ex t-et-otzotz

unk'a-nah-e at-ic t-u-t-otzotz.

In regelmässiger Weise wird von *at* der Imperativ: *at-en*, sei du (irgendwo), gebildet.

Ferner existirt von *at* ein derivirtes Nomen *at-il*, welchem das Personalpronomen suffigirt wird; z. B. *nachen at-il-in*, ich bin ferne, wörtlich „fern das Sein von mir".

Der Stamm *at* scheint auch im *t* der präteritalen Partikel *ca-t* zu stecken, welche dann eine Art von Präteritum von *at* bilden würde, das jedoch die Selbständigkeit eingebüsst hat und nur noch in der geschilderten Weise zur Präteritumbil-dung der Verbo-Nomina dient.

Mit der Negativpartikel *yel* wird *at* nicht verbunden, vielmehr dient für „nicht sein" ausschliesslich die Verbindung von *yel* mit der Partikel *ic* (vgl. S. 83).

2) Der Stamm *mat*, gehen (irse), sich entfernen.

Er findet sich stets mit suffigirtem Personalpronomen ver-bunden.

---

[1] Diese Form wurde mir für „yo estuve en casa" und „yo estaré en casa" angegeben.

Sing. 1. Pers. *mat-in*, ich gehe.

ma mat-ax, du gehst.

mat-u-nah-c u. s. w.

mat-o

ma mat-ex

mat-unk'a-nah-c.

Die ersten Personen *(mat-in* und *mat-o)* dienen als Abschiedsformel für: lebe wohl, ich gehe jetzt (ya me voy).

Die Ausschliesslichkeit, mit welcher *mat* in der Bedeutung von „gehen" gebraucht wird, legt den Verdacht, dass auch in ihm der Stamm *at* verborgen sei, ferne, trotz der Aehnlichkeit der Form *mat*, welche ein Compositum der Fragpartikel *ma* mit *at* ist. Tritt der Stamm *mat* in einem Fragesatz auf, so hat er stets die Partikel *ma* vor sich; z. B. *ma mat-unk'a-nah-c*, gehen sie?

Wird *mat* mit dem Stamme *el*, der „herausgehen" bedeutet, verbunden, so entsteht die Form *mat-el*, welche eigentlich „gehen um herauszugehen" bedeutet, entsprechend dem spanischen „ir á salir"; z. B.:

in mat-el-in ti-u-cabal-e, voy á salir de la casa.

ma mat-el-ax ti-u-cabal-e, vas á salir de la casa etc.

Wie mit *el*, herausgehen, kann sich *mat* auch mit *oc*, „eintreten", zu einem einheitlich behandelten Complex verbinden, *mat-oqu-in*, ich will eintreten (voy á entrar).

Mat ist synonym mit *ben* und wird in gleicher Anwendung mit diesem gebraucht; man kann sagen *mat-in ch'aon*, oder *ben-oj-in ch'aon*, ich gehe zum Essen.

3) Der Stamm *cux*.

Cux ist ein ziemlich vieldeutiger Ausdruck, der häufig lediglich adverbiale Bedeutung hat und uns später noch beschäftigen wird (vgl. S. 95).

Für sich allein wird *cux* gebraucht, um einen Imperativ

oder eine Aufforderung des Begriffes „gehen" auszudrücken:
„gehe du!" Es kann sich aber auch mit einer abhängigen
Verbalform verbinden; z. B. *cux cuato*, gehe schlafen, *ye cux
ya-l-as seue*, betrüge mich nicht, no me vayas á engañar,
en-junal-cux-ruete, gehen wir zusammen, vamonos juntos.

Cux kann aber auch als incorporirter Bestandtheil einer
Verbalform auftreten und ihren Inhalt gleichsam in seinem
Entstehen oder in der dazu nöthigen Bewegung schildern,
wofür unsere Sprachen keinen entsprechend kurzen Ausdruck
haben. So bedeutet der Satz: *ni-cux-i-ya-n-sa-u-nahe u-xeuaque*,
dieser Mann ging hin und wollte das Mädchen misbrauchen
(wörtlich: er ging sein Betrügenwollen dieser Mann jenes
Mädchen). *Cam-t-etz ni-cux-a-ban-e*, warum willst du es denn
machen? ¿Porqué lo vas á hacer?

4) Der Stamm *co*.

Co ist ein rudimentärer Imperativ für die 2. Pers. Plur.,
der entweder selbständig als *coon*, „gehen wir" (vamos), auftritt oder sich mit Verbalformen der Bewegung verbindet;
z. B. *co-cu-cul-l-e*, lasst uns ihm entgegengehen; *co-cu-lej-e*,
wir wollen ihm nachgeben (um ihn einzuholen), wörtlich:
gehen wir unser Entgegengehen.

Co ist unzweifelhaft mit dem ebenfalls defectiven *jo* (gehen
wir!) der Quiché-Sprachen identisch. Es wird dies durch den
analogen Gebrauch von *co* und *jo*, sowie dadurch bewiesen,
dass das initiale *c* in *co* häufig an *j* anklingt.

Noch vollständiger entsprechen die Formen der Maya,
coon-ex und *coox* dem *coon* des Ixil; es ist sogar fraglich, ob
das obenerwähnte *cux* des Ixil nicht lediglich das *coox* der
Maya sei.

DIE NEGATION DES VERBO-NOMINALINHALTS.

Soll der Inhalt einer Verbalconstruction verneint werden,
so dient hierfür die Partikel *ye*, „nicht", welche häufig zu *y*

verkümmert wird und mit dem Suffix *el* zu *ye-el*, contrahirt *yel*, „nichts", „nicht", „nein" verbunden wird; z. B. *ye-el cho*, es giebt nichts Besonderes, Neues (no hay novedad). Ihre Stellung ist vor dem Verbo-Nominalstamme mit seinem Pron. possess. und hinter dem Pron. subst., falls ein solches ausgesetzt ist; z. B.:

ye-un-sa, ich will nicht.

ma y-a-sa u. s. w.

uvue ye-n-i-sa

o ye-cu-sa

ma-ex ye-n-e-sa

unk'a-nah-e ye-n-i-sa.

Die Negativpartikel *yel* hat auch vor den Tempuspartikeln *la*, *tuc* und *cat* zu stehen; z. B. *ma ye la banc*, „thue es nicht".

Wie *yel* verhält sich hinsichtlich seiner Stellung zum Zeitwort auch die Composition *ye-x-cam*, nichts; z. B. *yexcam n-un-tok'c*, ich lasse mir nichts bezahlen (yo no cobro nada), *yexcam la un-banc*, ich werde nichts thun.

Soll das „Sein an einem Orte", welches eigentlich durch den Stamm *ut* ausgedrückt wird, negirt werden, so wird hierfür nicht *at* gebraucht, sondern nur die rudimentäre Partikel *ic*, deren bereits oben (S. 61) Erwähnung geschah; z. B.:

Sing. 1. Pers. *yel-iqu-in t-u en-otzotz*, ich bin nicht zu Hause.

2. „ *ma yel-ic-ax t-otzotz* u. s. w.

3. „ *uvue yel-ic t-u-t-otzotz*

Plur. 1. „ *o yel-ic-o t-u-k-otzotz*

2. „ *ma-ex yel-iqu-ex t-el-otzotz*

3. „ *unk'a-nahe yel-ic t-u-t-otzotz*.

DER VERBALINHALT ALS OBJECT.

Wir haben bereits im Vorstehenden einige Beispiele kennen gelernt, wo ein Verbalinhalt als Object eines andern auftritt. In unsern Sprachen wird in diesem Falle für den abhängigen

6*

Verbalinhalt der Infinitiv gebraucht. Da jedoch die Maya-Sprachen ein völliges Aequivalent unsers Infinitivs nicht besitzen (falls man nicht gewisse vom Verbalstamm derivirte Nomina als solches ansehen will), so muss dieses Verhältniss auf andere Weise ausgedrückt werden. Es kann dies auf verschiedene Art geschehen.

1) Es verbindet sich der subjectivische Verbalinhalt mit dem nackten Stamm des objectivischen zu einem einheitlichen Complex, der als Ein Wort behandelt wird.

Z. B. *mat*, gehen, und *el*, herausgehen, bildet *mat-el*, sich in Bewegung setzen, um hinauszugehen; *mat-el-in*, ich gehe hinaus.

Hierher scheint nur *mat-el* und *mat-oc* zu gehören.

2) Der objectivische Verbalinhalt wird, gerade als ob er unabhängig wäre, mit den entsprechenden Tempus- und Personalpräfixen abgewandelt; z. B.:

Sing. 1. Pers. *nic-un-sa la ch'an-in,* ich will essen.
   2. „ *nic-a-sa la ch'an-as* u. s. w.
   3. „ *niqu-i-sa la ch'an-nah*
Plur. 1. „ *ni-cu-sa la ch'an-o*
   2. „ *n-e-sa la ch'an-es*
   3. „ *niqu-i-sa la ch'an-chajnaj.*

Ebenso werden die Verbindungen mit präfigirtem Pron. possess. behandelt: *nic-un-sa vu-alin t-u-vv-otzotz,* ich will zu Hause sein; *nic-un-sa la vu-cchbu u-a,* ich will Wasser trinken.

3) Der abhängige Verbalinhalt tritt als Nomen verbale ohne pronominale Prä- oder Suffixe auf; z. B.:

   nic-un-sa vuatam, ich will schlafen.
   nic-a-sa vuatam, du willst schlafen.
   n-un-sa ch'aon, ich will essen.
   tuc-un-chus ak'on, ich lerne arbeiten.

4) Es kann der abhängige Verbalinhalt in einer Participialform mit dem regierenden verbunden wer-

den. Diese Construction tritt dann ein, wenn der abhängige Verbalinhalt ein Object bei sich hat; z. B.:

Sing. 1. Pers. *in vu-otzaj-le i-ban-t-u-chi*, ich kann spinnen, wörtlich: ich verstehe sein Machen des Fadens.

ma otzaj-le i-ban-t-u-chi, du kannst spinnen.

u. s. w.

DIE CONJUGATION MIT PERSÖNLICHEM OBJECT.

Im Cakchiquel wird diese Form der Conjugation mittels der Passivconjugation wiedergegeben. Es liegt dieser Darstellung eine von der unserigen verschiedene Auffassung des Verhältnisses von Subject und Object zu Grunde, insofern unser Subject als das die Thätigkeit des Verbalinhaltes erleidende Object dargestellt wird. Man sagt z. B. nicht: ich sehe dich, sondern: du wirst von mir gesehen, du bist der Gegenstand meines Sehens, *ng-at in-tz'et*.[1]

Von einer derartigen Auffassung des Verhältnisses von persönlichem Subject zum persönlichen Object ist nun im Ixil nichts zu bemerken, vielmehr ist die Darstellung desselben eine der unserigen analoge. Man sagt z. B.:

in cat-ilon-ax[2], ich sah dich.
ma-ax cat-ilon-in, du sahst mich.
uvue cat-ilon-in, er sah mich.
unk'anahe cat-ilon-in, sie sehen mich.
in cat-ilon-unk'anahe, ich sah sie.
o cat-ilon-ex, wir sahen euch.
ma-ex cat-ilon-o, ihr sahet uns.
ma-ax cat-ilon-o, du sahst uns.
o cat-ilon-ax, wir sahen dich.
unk'anahe cat-ilon-ax, sie sahen dich.

[1] statt *ng-at nu-tz'et*.
[2] oder *cat cu-il-la-ax*.

ma-ax cat-ilon-unk'a-nahe, du sahst sie.
ma-ax cat-ilon-uvue, du sahst ihn.
uvue cat-ilon-ax, er sah dich.

Es wird also im Ixil das Objectspronomen dem Verbo-Nominalstamm nachgestellt und zwar in der Form des selbständigen Pronomens (siehe 3. Pers. Sing. und Plur.), woraus hervorgeht, dass dasselbe formell als ziemlich unabhängig vom Verbum betrachtet wird.

Ist die Thätigkeit des Verbalinhalts eine rückzielende, so wird dem Verbo-Nomen das Pron. reflex. suffigirt; z. B. *la vu-oc-sa-vuib,* ich werde es mir anziehen (ein Kleid oder dergleichen), vgl. S. 31.

DIE EINVERLEIBUNG IM IXIL.

Mit der Besprechung dieses Kapitels betrete ich einen streitigen Grund, auf welchem noch gegenwärtig der Kampf tobt. Es kann nicht meine Absicht sein, auf Grund lediglich localer Vorkommnisse, wie die Incorporation der Maya-Sprachen sie bietet, in einer Frage von so allgemeiner Bedeutung irgendeine Meinung über die zweckmässigste Fassung der Begriffe des Polysynthelismus und der Incorporation äussern zu wollen. Bis aber die Forscher von Fach sich endgültig über diesen Punkt geäussert haben, ist es doch nothwendig, sich an eine der bereits bestehenden Definitionen zu halten, um die darauf bezüglichen Verhältnisse des Ixil erörtern zu können. Prof. Dr. D. G. Brinton in Philadelphia hat in jüngster Zeit in einer wichtigen Arbeit nicht nur eine kritische Uebersicht der bisher von verschiedenen Autoren aufgestellten Definitionen gegeben, sondern auch seinerseits die Begriffe Polysynthesis und Incorporation genauer zu präcisiren gesucht.[1]

---

[1] Dr. Brinton definirt die beiden Begriffe folgendermaassen: „Polysynthesis is a method of word-building, applicable either to nomi-

Da die von Prof. Brinton gegebene Definition für das Ixil vollkommen ausreichend ist, sind die folgenden Notizen über die Incorporation im Sinne der Brinton'schen Definitionen gehalten.

Wie schon oben (S. 56) hervorgehoben wurde, wird im Ixil das Verbum wesentlich als Nomen aufgefasst und behandelt, sodass es bis auf einen gewissen Grad willkürlich erscheint, ob man für diese Sprache die Begriffe der Polysynthese und der Incorporation überhaupt trennen will.

Das Ixil ist eine exquisit incorporirende Sprache. Der eigentliche Verbo-Nominalstamm erscheint als polysynthetischer mit dem Pron. possess. verbundener Complex, welchem die Tempuspartikeln vorangehen, und welchem das pronominale, reflexivische oder nicht reflexivische Object ebenfalls deutlich durch Suffigirung incorporirt wird (vgl. die Imperativformen mit -ba S. 71 und 72).

---

nals or verbals, which not only employs juxtaposition with aphaeresis, syncope, apocope etc., but also words, forms of words and significant phonetic elements which have no separate existence apart from such compounds. This latter peculiarity marks it off altogether from the processes of agglutination and collocation.

„Incorporation, Einverleibung, is a structural process confined to verbals, by which the nominal or pronominal elements of the proposition are subordinated to the verbal elements, either in form or position; in the former case having no independent existence in the language in the form required by the verb, and in the latter case being included within the specific verbal signs of tense and mood. In a fully incorporative language the verbal exhausts the syntax of the grammar, all other parts of speech remaining in isolation and without structural connection." (*Prof. Daniel G. Brinton*, M.D., On Polysynthesis and Incorporation as characteristics of American Languages. Philadelphia 1885, p. 14. 15.)

Kürzlich hat Herr Lucien Adam in der „Revue de linguistique et de philologie comparée" (T. XIX, 15 Juillet 1886) einen Aufsatz veröffentlicht: „De l'incorporation dans quelques langues américaines", welcher sich direct gegen Brinton's Auffassung wendet. Während Brinton z. B. das Cakchiquel zu den einverleibenden Sprachen rechnet, sucht Herr L. Adam das Gegentheil dieser Auffassung darzuthun.

Das Ixil geht aber in dieser Hinsicht noch weiter als die übrigen Maya-Sprachen von Guatemala, indem es auch nichtpronominale und nicht zur Tempus- und Modusbezeichnung gehörige Bestandtheile in den Verbalcomplex aufnimmt. Dahin gehören z. B. die Constructionen mit *moch* (S. 65), *cus*, *chit* u. s. w. (S. 65). Dahin gehören auch die Fälle von wirklicher Incorporation des Objects; z. B. *cat oc-y-u-lacux-ste*, der Nagel ist ihm schon hineingegangen, d. h. es ist schon genagelt; *ok'sa-u-a-e-ba*, blase die Flöte.

PRÄPOSITIONEN.

Das Ixil verfügt über zwei einsilbige Lautcomplexe, welche selbständig nicht vorkommen, sondern stets mit Nominal- oder Pronominalstämmen polysynthetisch verbunden erscheinen. Ursprünglich liegen ihnen stets Orts- und Richtungsbegriffe zu Grunde. Diese Präpositionen sind:

si (gewöhnlich nur *s*) und *ti* (vor Vocalen *t*).

s bezeichnet eigentlich die Richtung „auf einen Ort hin", dann aber auch das stabile „Sichbefinden" an einem Orte; z. B.:

s-t-iba ch'a'ch, auf das Bett hinauf und auf dem Bett.

i-s-ha'k (euphonisch für *s-i-ha'k*), unter das Bett hinab und unter dem Bett.

ul-en s-in-xe, gehe mit mir.

s kann jedoch auch zu Zeitbestimmungen dienen; z. B. *s-a'kbal*, gestern nachts, wörtlich: in der Nacht.

ti ist noch vieldeutiger als *s* und bedeutet sowol die Richtung als den Ort selbst, und zwar in den Bedeutungen „auf etwas hin", „von etwas her", „in", „auf"; z. B.:

at-in t-u-vu-otzotz, ich bin in meinem Hause.

ye-cat-on-o t-u-tenam, wir gelangten nicht zum Dorfe.

in nat-el-in ti-u-cabal-e, ich trete aus dem Hause heraus.

ti-i-k'ul, „hinter ihm" und „hinter ihn".

t-i-benabal k'i, „im Westen" und „nach dem Westen hin" (d. h. im Untergang der Sonne).

t-u-muj-el, „im Winkel" und „in den Winkel".

Nach dem Gebrauch entsprechen *s* und *ti* den Präpositionen *chi* und *pa* der Quiché-Sprachen. Es ist sogar wahrscheinlich, dass *s* morphologisch identisch ist mit dem *chi* der Quiché-Sprachen. Da nämlich dem *ch* des Quiché und Cakchiquel oft ein *te* der Mame-Sprachen entspricht, so müssten wir in diesen ein *tzi* als Aequivalent von *chi* erwarten. Nun findet sich im Ixil wirklich eine Partikel *tzi*, welche zur Bildung von Ortsadverbien dient; z. B. *tzi-tzi, tzi-tza, tzi-le*. die alle „hier", „dort", „hierhin", „dorthin" bedeuten. Aus diesem *tzi* dürfte nun durch euphonische Abschwächung die Präposition *s* entstanden sein. Es ist dies um so wahrscheinlicher, als gelegentlich statt *s* noch *tz* gesprochen wird, wo dies keine euphonischen Nachtheile hat; z. B. *s-ung-vuatz* und *tz-ung-vuatz*, vor mir.

POLYSYNTHETISCHE VERBINDUNGEN ADVERBIALEN GEBRAUCHS.

Eine Anzahl von Nominalstämmen des Ixil sowol als der übrigen Maya-Sprachen Guatemalas dienen in bestimmter Weise dazu, gewisse adverbiale Constructionen mit locativer Bedeutung zu bilden. Sie werden dabei mit den Pron. possess. und den Präpositionen *s* und *ti* zu polysynthetischen Complexen verbunden, für welche die alten spanischen Grammatiker die Bezeichnung der „Casos de los pronombres primitivos" brauchten. Diese Nomina sind: *vuatz*, das Gesicht, *k'ul*, der Rücken, *e* und *iba*, deren Bedeutung schon früher (S. 32—34) besprochen wurde, und endlich *ha'k*, welches mir als selbständiger Stamm im Ixil nicht bekannt, aber in der Uspanteca als *ca'k*. „Leiter" vorhanden ist, und *xe*, das „die Wurzel", „die Basis", „die Unterlage", im weitern dann auch „der Steiss", „After" bedeutet. Die daraus resultirenden Verbindungen sind folgende:

1) mit *vuatz*, das Gesicht, werden Adverbien mit der Bedeutung „vor, im Angesicht von“ gebildet.

s-ung-vuatz-in, vor mir.
s-a-vuatz-ax, vor dir.
s-(i)-vuatz-uvue, vor ihm.
s-cu-vuatz-o, vor uns.
s-t-vuatz-ex, vor euch.
s-vuatz-unk'a-nahe, vor ihnen.

Diese Form entspricht genau dem *chi-nu-vnach* der Quiché-
Sprachen.

2) Mit *k'ul*, der Rücken, werden Adverbien mit der Bedeutung von „hinter, hinter dem Rücken“ gebildet.

ti-n-k'ul, hinter mir.
ti-a-k'ul, hinter dir u. s. w.
ti-i-k'ul uvue
ti-cu-k'ul-o
ti-e-k'ul-ex
ti-i-k'ul-unk'anahe.

3) Mit *e* werden die schon besprochenen Verbindungen
s-vu-e, *s-c-ux*, „für mich, dich“ u. s. w. hergestellt.

4) *iba* liefert die Formen *s-vu-iba*, *s-e-ba* u. s. w., „auf
mir, auf dir“ u. s. w.

5) *ha'k* liefert Verbindungen im Sinne von „unter“.

s-ung-ha'k, unter mir.
s-a-ha'k u. s. w.
s-ha'k-uvue
s-cu-ha'k-o
s-e-ha'k-ex
s-ha'k-unk'anahe.

6) Mit *xe* werden Formen im Sinne „mit, in Begleitung von“ gebildet; z. B. *ulen s-in-xe*, „komm mit mir“, wört-

lich: „komm an meinem Steisse", d. h. „hinter mir", da die Indianer einer hinter dem andern zu marschiren pflegen.

s-in-xe, mit mir.
s-a-xe u. s. w.
s-i-xe
s-cu-xe-o
s-e-xe-cx
s-i-xe-unk'anahe.

Mit der Präposition s werden ausserdem gebildet:
s-a'kbal, gestern nachts, s-k'ejal[1], morgen, s-ete, gestern.

Mit ti entstehen: t-u-k'i. bei Tage, t-u-a'kbal. bei Nacht, ti-pococh. inmitten, in der Mitte von, t-u-jupe. an der Ecke. t-ung-vual-lado, auf der andern Seite, t-u-junun-lado, jederseits, t-u-junun-k'i, täglich, ti-bu'kebal-k'i, im Osten, ti-benabal-k'i. im Westen.

Die übrigen Bildungen adverbialen Gebrauchs, welche das Ixil aufweist, entziehen sich theilweise zur Zeit noch der Analyse, sodass es zweckmässiger erscheint, dieselben nach ihren Begriffskategorien zu ordnen.

Zeitbestimmungen.

xchel. xchela. xcheel. heute, jetzt, gegenwärtig, augenblicklich.
kalen, morgen.
caben. übermorgen.
chacal k'i, Mittag.
K'alam, morgens früh.
cuk'i, spät. [2]
xamtel, nachher, nachdem, wann, als; z. B. xamtel la ul u-Pedro, wenn Pedro kommt.
ctzan, sogleich; z. B. ctzan ul-in, ich komme sogleich wieder.

---

[1] k'ejal von k'ij, Sonne, Licht.
[2] cu-k'i, wörtlich: die Sonne sinkt.

Ortsbestimmungen.

tzi-tzi, tzi-tzu, dort, dorthin.

alikca[1], nach oben, oben.

alicue[2], nach unten.

tuvuisuchil, rechterhand.

smusinal, linkerhand.

najlij, nahe; z. B. *najlij vu-otzotz,* nahe meinem Haus.

nachel, fern.

pococh (gewöhnlich *ti-pococh*), in der Mitte von.

altela, draussen.[3]

altocyul, drinnen.[4]

Bestimmungen der Quantität.

Hier sind es vor allem zwei Stämme, welche in eine Anzahl von polysynthetischen Verbindungen, selbst der Verbalincorporationen, eintreten und so enge mit ihnen verschmelzen können, dass ihre Loslösung in manchem Falle nicht ganz leicht ist.

Der eine dieser Stämme ist *chit* für die mässige Quantität, das Wenige, der andere ist *cual* für die grosse Quantität, die Menge, den hohen Grad einer Sache.

Beispiele mit *chit.*

nim-chit-i-qui-u-nah-e, dieser Mann ist ziemlich gross, wörtlich: gross ein wenig sein Ausmass dieses Mannes.

nim-chit-i-qui-cheu, die Kälte ist sehr gross.

---

[1] und [2] sind deutliche Composita von *al,* dort, dem Pron. possess. *i* und den Verbo-Nominalstämmen *he,* „hinaufsteigen“, „hinaufbringen“, und *cu,* „herabsteigen“, „herabnehmen“. *al-i-he-a* heisst „dort sein Hinaufsteigen“; *al-i-cu-e,* „dort sein Hinabsteigen“, wobei allerdings die Schlussvocale *a* und *e,* die stets betont sind, nicht anders als durch phonetischen Gebrauch, im Sinne von Interjectionen, zu erklären sind. Entsprechend gebildet sind [3] *al-t-el-a,* dort draussen, und [4] *al-t-oc-yul,* „dort drinnen“, von den Verbalstämmen *el* und *oc.*

tuc-chit-un-chuse, ich will ein wenig lernen.

at-chit-un-pua, ich habe etwas Geld.

suj-chit-i-be(n)-na, er geht sehr leicht.

mas-chit-n-i-tin-e u-k'ancau, der Donner hat sehr stark gelärmt.

Beispiele mit *rual*.

rual xamal x-vu-i, viel Feuer (ist) in meinem Kopf, d. h. ich
    habe starken Kopfschmerz.

rua(l)-xcheel. gerade jetzt, augenblicklich, wörtlich: sehr jetzt.

rual t-alal, viel sein Gewicht, d. h. es ist sehr schwer.

ung-rual uxvuac rual i-chequil i-vuatz, ein Mädchen viel die
    Schönheit seines Gesichtes, d. h. ein sehr hübsches
    Mädchen.

Ferner werden im Ixil mit *rual* die Cardinalzahlen verbunden und gezählt: ein Quantum, zwei Quanta u. s. w. (vgl
S. 52). Diese Verbindung von *vual* mit den Zahlwörtern,
welche wir gewiss als eine sehr alte betrachten dürfen, ist so
enge geworden, dass beim Zählen von Objecten die collective
Bedeutung von *rual* gänzlich verloren geht und nicht mehr
gezählt wird; *ca-rual cabal* heisst nicht: zwei Quanta von
Häusern, sondern einfach „zwei Häuser". (Vgl. S. 53.)

Vual wird nicht wie *chit* dem Verbum incorporirt.

Durch den Wechsel des Schluss-*l* in *t* erlangt *ung-vual*
die Bedeutung von „noch einer" und daher auch „ein anderer";
z. B. *ung-vuat-na*. noch ein Mann, *tuc ung-vuat-ixo*, mit einer
andern Frau.

Mit dem Suffix *el* wird von *ung-vuat* eine Art collectiver
Pluralform gebildet: *ung-vuat-el ixo*, andere Frauen, *tuc ung-
vuat-el na*, mit andern Männern. Man kann diese Form kaum
als wirklichen Plural ansprechen, da sie der Bildung nach
dem Singular entspricht. Vgl. auch *cux-el echbu tzi*, gehet
(dorthin) trinken. (S. 95.)

Eine kleine Quantität wird durch den Stamm *bil* wiedergegeben; z. B. *at-un-bil u-ixin*. es ist etwas Mais vorhanden,
un-bil-cux-t-ul-e, er ist vor kurzem gekommen.

Auch *bil* kann durch Wechsel des *l* in *t* seine Form
ändern, ohne jedoch in seiner Bedeutung sichtlich modificirt
zu werden; z. B. *un-bit-cux-t-ul-e*, er kam soeben, wörtlich:
nur einen Augenblick er kam; *tzi-tza bit-cux-tu*, nur ein wenig
hierher (als Commando bei Verben der Bewegung).

bo (selten *baj*) bezeichnet eine kurze Spanne Zeit, *il-cu un-bo*,
ruhe etwas aus.

Ein Compositum mir unbekannten Ursprungs ist *yetama*,
welches in der Bedeutung von „viel, stark, heftig" in Verbindung mit Nominalstämmen gebraucht wird, denen der Begriff
einer Temperatur zu Grunde liegt; z. B. *yetama xamal xvui*,
„viel Feuer in meinem Kopf", d. h. ich habe Fieber; *yetama
tz'a*, viel Hitze, d. h. es ist sehr heiss; *yetama cheu*, es ist sehr
kalt; *yetama k'i*, viel Sonne.

Mit *quye*, die Grösse, der Umfang eines Gegenstandes (ta-
maño) entsteht: *c-qu-i-quye*, so gross, eigentlich diese Grösse
hat sein Umfang; als Antwort auf die Frage *cau-ic i-quye?*
wie gross? *ec-chit-c c-quye*, so, so, *c-quye-ueue*, so gross wie
dieser; *c* ist in diesen Verbindungen das Pron. demonstrativum.

Ausser den genannten Nominalstämmen wird aber im
Ixil auch eine Anzahl von Verbalstämmen zur Herstellung
adverbialer Ausdrücke gebraucht, und zwar sind dies sämmtlich solche, welche eine Bewegung andeuten; nämlich das
schon erwähnte anomale Zeitwort *cux*, gehen, dann *el*, hinausgehen, *ul*, kommen, *oc*, eintreten, die letztern meist in Verbindung mit dem Pron. possess. der 3. Pers. Sing.: *t-el*, *t-ul*,
t-oc. Sie entsprechen in ihrer Anwendung den Cakchiquel-
Verben *ul*, kommen, *el*, hinausgehen, *apon*, ankommen u. s. w.,
nur erscheinen diese im Satze als nackte Stämme und nicht,
wie im Ixil, mit dem Pron. possess. verbunden.

Es ist nicht immer möglich, die Nuance, welche durch die
Anwendung dieser Verbalformen dem Satze für das Sprachgefühl der Indianer verliehen wird, zu verstehen oder in
unsern Sprachen wiederzugeben, doch scheinen es hauptsächlich Sätze mit Verben der Bewegung zu sein, in denen sie

angewendet werden, sodass sie eine Art Wiederholung der Verbalthätigkeit bilden; z. B. *cux-el echbu tzi*, geht dorthin, um zu trinken, ferner in den schon besprochenen (S. 84) Compositionen *mat-el* und *mat-oc*.

Sie gehen dann auch polysynthetische Verbindungen ein; z. B. *al-t-el-e*, draussen (wörtlich: dort sein Hinausgehen), *al-t-oc-yul*, dort drinnen (wörtlich: dort sein Hineingehen), *al-t-i-el cabal*, ausser dem Hause, *xam-t-el la ul u-Pedro*, wenn Peter gekommen ist, *bit-el y-ul-u*, er ist noch nicht gekommen, wörtlich: ein wenig nicht das Kommen von jenem, *un-bit-cux-t-ul-e*, vor kurzem kam er, *bit-el-i-sa*, er will noch nicht.

Die Vermuthung scheint gerechtfertigt, dass das bereits besprochene Suffix *el* in der anscheinenden Pluralform *ung-vuat-el*, „andere", ebenfalls der Verbalstamm *el*, herauskommen, sei, denn „noch einen" kann man sich nicht denken, ohne dass er irgendwo herkommt, obwol es für unsere Vorstellungsweise schwer begreiflich ist, wie die Indianer dazu kommen, „otro hombre" mit *ung-vuat-na* und „otros hombres" mit *ung-vuat-el-na* zu übersetzen. Die Grundlage der ganzen Phrase bildet im Ixil der Singularbegriff: noch einer kommt heraus oder dazu, also sind mehrere.

cux (vgl. S. 81) bedeutet oft „allein, ohne Begleitung, nur, blos" und wird häufig dem Verbum incorporirt; z. B.:

> *in-cux-ben-in*, ich gehe allein.
> *nu-ax-cux-ben-ax*, du gehst allein u. s. w.

Der Stamm *cux* kann durch das Suffix *tu* zu *cuxtu* erweitert werden und erlangt dadurch grössere Selbstständigkeit, ohne seine Bedeutung zu ändern; z. B.:

> *ung-vual cux-tu*, blos einer, einer allein.
> *in-cux-tu*, ich allein, *ax cux-tu*, du allein.
> *unk'anahe cux-tu* oder *a-cux-unk'anahe*, sie allein.

Durch Prägirung der Silbe *an* erhält *cux* die Form *au-cux* (fast wie *an-gux* lautend) und wird mit „selbst" (ipse) übersetzt, entsprechend dem *xavi-yin* des Cakchiquel; z. B.:

an-cux in ben-in, ich gehe selbst.

ma an-cux a ben-ax, du gehst selbst u. s. w.

Als rudimentäres Verbo-Nomen ist auch ohne Zweifel die Optativpartikel *oj* aufzufassen, welche im Ixil nicht als selbständiges Verbum vorkommt, denn *oj*, „fliehen", ist, wie das *ojie*, „gehen", des Pokonchí zeigt, aus einer andern Quelle (von *ok*, „der Fuss" [Pokonchí]) abzuleiten. Dagegen findet sich im Papuluca-Dialekt des Cakchiquel die Form *ojo* in einigen Personen des regelmässigen Zeitwortes *ajo*, „wollen", und mit dieser möchte ich das *oj* des Ixil in Beziehung setzen.

oj verleiht als Verbalsuffix dem Inhalt des Zeitwortes häufig eine optative Bedeutung (*ben-oj*, „gehen wollen"), in andern Fällen (*kos-oj*, „sich verletzen") ist dieselbe weniger hervortretend.

Mit *ma* bildet *oj* als *m-oj* und *m-uj* eine Frage- und Disjunctivpartikel.

In der Form *os-oj* dient *oj* als Optativpartikel: *os-oj la ul-i*, „möge er kommen".

Durch Verdoppelung von *k'on*, der Schritt, entsteht *k'oni-k'oni*, langsam, nach und nach.

Die Bejahung und Versicherung wird durch *cano*, „ja", „gewiss", „sicherlich", ausgedrückt, in welchem vielleicht der Stamm *ca*, „bleiben", verborgen ist.

Zur Verneinung dient, wie erwähnt, *ye* und seine polysynthetischen Verbindungen: *ye-l*, nicht, *ye-x-cam*, nichts, *ye-x-cat*, nirgends u. s. w.

CONJUNCTIONEN.

Satzconjunctionen fehlen dem Ixil ursprünglich, werden aber jetzt gelegentlich aus dem Spanischen entlehnt; z. B. *cat-itz'eb-ungcual-in-xa'k*, *pero xum*, es wurde mir ein Kind geboren, aber es ist ein Zwilling; *u-in-ch'one-in*, *ye cat-ul-in*, weil ich krank war, bin ich nicht gekommen, wörtlich: ich war krank, ich bin nicht gekommen.

Dagegen gibt es einige polysynthetische Verbindungen, welche in conjunctivem oder disjunctivem Sinne zwei Nomina eines Satzes verbinden können.

In conjunctivem Sinne thut dies die Partikel *tuc*, von der schon oben ausführlich die Rede war (S. 67), in der Bedeutung von „und, mit, in Begleitung von“; z. B. *in la ben-in tuc u-ru-iroh-e*, ich gehe mit meiner Frau; *sakil* [1] *tuc s-a'kbal*. Tag und Nacht.

In disjunctivem Sinne wird *m-uj* gebraucht: *ma ra'k-e muj rruaqu-e*, ist es ein Knabe oder ein Mädchen (vgl. im Cakchiquel das gleichbedeutende *ala ve pe ztan*); *ma la sa pan muj le*, willst du Brot oder Tortillas; *ma ban muj ye-ban*, ist es gut oder schlecht.

LEHNWORTE DES IXIL.

Bei der grossen Abgeschlossenheit, in welcher die Ixil-Indianer auch nach der Eroberung noch gelebt haben, war es natürlich, dass sie nur wenig Anlass zur Aufnahme fremder Worte in ihre Sprache hatten. Die Lehnworte des Ixil, für welche nur das Aztekische (Nahuatl) und das Spanische in Betracht kommen, sind daher nicht sehr zahlreich, gewähren aber doch ein interessantes Bild des fortwährenden langsam umgestaltenden Einflusses, welchen die Sprache und Vorstellungswelt des einen Volkes auf das andere ausübt. Am raschesten scheint das Zahlsystem der Maya-Völker durch das spanische beeinflusst worden zu sein, wenn auch spanische Worte nur für die höhern, weniger gebrauchten Ziffern (ciento, mil u. s. w.) adoptirt wurden. Dann waren es die Steigerungsgrade der adjectivischen Begriffe, eine früher den Mayas völlig fremde Ausdrucksweise, welche zur Adoption des spanischen Comparativs und Superlativs (mas, mas que) in Verbindung mit

---

[1] für *s-sakil*.

indianischen Worten führte; z. B. *mas nim*, sehr gross, *mas chit unk'an tenam*, sehr viele Leute.

Im übrigen aber scheint die indianische Syntax im Ixil noch nicht merklich beeinflusst worden zu sein, wie denn überhaupt der Process der gänzlichen Ausrottung einer Sprache, solange ihr Volk bestehen bleibt, glücklicherweise nicht gar so rasch verläuft, wie einige Anthropologen zu glauben scheinen, die zur Hebung von anscheinenden Widersprüchen sehr freigebig mit der Voraussetzung umgehen, ein Volk habe die Sprache eines andern „angenommen". Dass im Gegentheil auch ungeschriebene Sprachen äusserst zähe sein können, beweisen zahlreiche Beispiele, am frappantesten aber dasjenige des Caraibischen der Westindischen Inseln, welches, nachdem seine indianischen Schöpfer längst nicht mehr sind, auf Angehörige einer fremden Rasse, Neger und Negerabkömmlinge, bis auf den heutigen Tag sich fortgeerbt hat, trotzdem die Westindischen Inseln zu wiederholten malen für Jahre der Schauplatz des Haders und Zanks aller möglichen europäischen Seemächte gewesen waren.

Die Lehnworte des Ixil, die sich in meiner kleinen Wörtersammlung vorfinden, sind folgende:

antiouo-chitu, von alters her, vom spanischen „antiguamente".

caxlan, weiss; z. B. *caxlan vua*, weisses Brot, im Gegensatz zur indianischen Tortilla, *caxla-na*, der Greis (weisser Mann). *Caxlan* stammt vom spanischen „castellano" und findet sich auch als *caxtran* in der Maya und noch vollständiger als *caxtillan* im Aztekischen. Ursprünglich wurden damit die den Indianern neuen, von den Spaniern importirten Dinge, Brot, Hühner, Knoblauch, weisse Kaninchen u. s. w. bezeichnet; z. B. *ec totolli Caxtillan tlatlasqui*, eine spanische Bruthenne (Nahuatl), *caxlan umul* (Cakchiquel), weisser Hase, d. h. Kaninchen. Da einige von diesen Objecten in vorwiegend weisslichen Varietäten den Indianern vor Augen kamen, wie die europäischen Hühner und Kaninchen, und da zudem im Laufe der Zeit sich der ursprüngliche Gegensatz zwischen einheimischen und spanischen Culturpflanzen und Hausthieren durch die massenhafte Verbreitung der letztern in den indianischen Ländern verlor, so trat die ursprüngliche Bedeutung der Herkunft in den Hintergrund und ging allmählich in der blossen Farbenbezeichnung auf. Die heutigen Cakchiqueles denken bei *caxlan vua*, weisses Brot, nicht mehr an die europäische Herkunft des Weizenbrotes, sondern an seine Farbe, und wenn sie den nationalen Gegensatz zwischen sich und den Weissen bezeichnen wollen, so brauchen sie andere Ausdrücke; z. B. *beyom*, reich (*qui-si'qui-bal beyoma*, der Rauchapparat der Reichen, d. h. die Tabakspfeife, im Gegensatz zur indianischen Cigarre, *qui-vuarabal beyoma*, das Bett der Reichen, im Gegensatz zum indianischen Rohrgestell).

chip, „Fleisch", vom spanischen „chivo", Ziegenbock.

mes, Katze, entspricht ähnlichen, zum Theil identischen Formen auch in den übrigen Maya-Sprachen (*miz* in der Maya und den Quiché-Sprachen). Es stammt vom aztekischen *miztli*, der Puma, dessen Diminutiv *miztontli*, kleiner Puma, die mexicanischen Indianer für die ihnen vor der Eroberung unbekannte europäische Hauskatze gebrauchten, und welches dann offenbar auch von den Mayas adoptirt wurde.

mexa-tze, wörtlich „Holztisch" (vom spanischen „mesa"), für das mexicanische Gestell *(cacaxtli)* zum Tragen zerbrechlicher Gegenstände, Geschirr, Eier u. s. w. auf dem Rücken. Die Ixiles scheinen es demnach erst durch die Spanier kennen gelernt zu haben.

patux, Ente, vom spanischen „pato". Dass die Ixiles nicht wie andere Maya-Sprachen (Maya: *cutza, cutz-ha*) einen einheimischen Namen für „Ente" haben, erklärt sich daraus, dass die wilden Entenarten, an welchen die Küstenlagunen und grossen Seen Guatemalas reich sind, der Fauna der rauhen und wenig bewässerten Ixil-Berge vollständig fehlen.

pexu, Wage, vom spanischen „peso", Gewicht.

7*

pisca, die Maiskörner vom Kolben lösen, vom aztekischen *ni-pisca*.

xila, die Butaca, ein niedriger Lehnstuhl, vom spanischen „silla".

tenam, Dorf, vom aztekischen *tenamitl*, die gemauerte Einfassung der Städte.

tucul, Nachteule, vom aztekischen *tecolotl*.

tzinta, das in die Haare geflochtene rothe Band der Indianerinnen, vom spanischen „cinta".

Eine kleine Anzahl spanischer Worte findet ohne lautliche Veränderung im Ixil Verwendung; z. B. *mas*, eigentlich „mehr", im Ixil für „sehr", „viel", gebraucht; *lado*, die Seite; *ánima*, „Herz" (ausschliesslich für das pulsirende Organ des Blutkreislaufes [cor] gebraucht, welches für den Indianer der Sitz der Seelenthätigkeit und des Lebens ist); *coton* (Kattun) für die wollenen Oberkleider der Männer.

TEXTPROBE.

Der verstorbene Dr. Berendt citirt in seinem Manuscript „Vocabulario comparativo de las lenguas pertenecientes á la familia Maya-Quiché", welches übrigens nur ein paar Worte vom Ixil enthält, eine „Doctrina de Nebaj", über welche mir aber nichts bekannt geworden ist. Ich kann daher als Textprobe des Ixil nur das Wenige bringen, was ich seiner Zeit in Nebaj unter dem Dictat des dortigen Fiscal, Juan Brito, niederschrieb. Darunter befand sich das „Padre Nuestro", das „Ave-Maria", sowie die gewöhnlichen Begrüssungs- und Abschiedsredensarten, welche die Indianer bei ihren gegenseitigen Besuchen anwenden.

Leider haben die beiden christlichen Gebete, welche sich in Ermangelung einer gedruckten Doctrina nur mündlich forterben, bei näherer Untersuchung mannichfache Schädigungen gezeigt, indem einiges verschoben, anderes wiederholt, anderes dagegen weggelassen ist. Namentlich ist das Vaterunser in einer Weise verstümmelt, welche deutlich zeigt, dass bei seinem Herplappern seitens der wenigen Indianer von Nebaj, welche dasselbe überhaupt kennen, der Sinn fast gänzlich verloren gegangen ist. Ich gebe daher im Folgenden nur die Begrüssungs- und Abschiedsformeln, deren Analyse mit Hülfe der vorstehend gegebenen Grammatik und des Wörterbuchs leicht ist.

Begrüssung zwischen zwei Indianern (A und B), von
denen A den B in dessen Hause besucht.

A. *Chalaxi, ma techcu a-cul?*
    Guten Tag, wie geht es dir?

B. *Techcu cuxtu. Ma techcu-etz?*
    Ich bin wohl. Bist du gesund?

A. *Ta-a-tix-ba-t-e-Diox, os-o-techcu-etz.*
    Gott sei Dank, dass du gesund bist.

B. *Oqu-en-yul, xou-eb-en.*
    Tritt herein, setze dich.

A. *Nic-un-sa yolo-n-in s-oquye.*
    Ich möchte mit dir reden.

B. *Yolo-n-oj-o-baj!*
    Reden wir denn!

A. *Tech-e-ban, tix-ca s-a-xe, mat-in.*
    Gut denn, dank sei mit dir, ich gehe jetzt.

B. *Tech-r-ban, la ban-eb cuenta.*
    Gut denn, trage dir Sorge.

    Tan tix s-e cat ul a-ban-in saludar.
    Dank dir (dass) du kamst mich zu besuchen.

A. *Cam-al kalen la ul ru-il-ch-ax.*
    Vielleicht morgen werde ich wieder kommen, um dich zu be-
    suchen.

B. *Ban-e-ba, kal-ul el che-in.*
    Gut denn, morgen kommst du wieder mich zu besuchen.

    *Yexcat yolon-oj-in mas, por tan la'tz um-vuntz tan at
    ru-a'kon.*
    Ich plaudere nun nicht mehr, denn ich habe viel zu thun.

WORTVERZEICHNISS DER IXIL-SPRACHE.

Ich habe in nachstehendes Verzeichniss nur diejenigen Ausdrücke aufgenommen, für deren richtige Auffassung nach Sinn und Lautnotirung ich glaube einstehen zu dürfen. Alles, was mir in meinen Notizen zweifelhaft blieb, ist weggelassen worden, wodurch allerdings die Zahl der Worte eine Einbusse erlitt, dafür aber die Zuverlässigkeit des Gegebenen stieg. Es ist nicht so leicht, wie vielleicht mancher an geschriebene Sprachen mit gedruckten Wörterbüchern Gewöhnte glauben mag, ein polysynthetisches Idiom aus einer Unzahl von Beispielen in seine Elemente zu zerlegen. Auch bereitet die vielfach schwankende und undeutliche Aussprache der Indianer manche Schwierigkeit, hauptsächlich für die Laute *ch* und *qu*.

Wo es anging, sind die gegebenen Ausdrücke in ihre Bestandtheile zerlegt worden, wodurch, wie ich glaube, der Einblick in den Wortbau wesentlich erleichtert wird.

Abkürzungen.

act. = activ.

adj. = Adjectiv.

adv. = adverbial gebrauchter Ausdruck.

cf. = confer.

coll. = Collectivum.

comp. = zusammmengesetzter Ausdruck

conj. = Conjunction.

contr. = Contraction, contrahirt.

corr. = Corruption.

erw. = erweitert, Erweiterungsform.

n. = Nomen.

n. adj. = adjectivisch gebrauchter Nominalstamm.

n. num. = Nomen numerale.

n. s. = substantivisch gebrauchter Nominalstamm.

n. v. = Nomen verbale.

opt. = Optativ.

p. = Person.

part. = Partikel.

partic. = Participium.

pass. = Passivum.

pl. = Plural.

pr. = Pronomen.

pr. dem. = Pronomen demonstrativum.

pr. indef. = als Pronomen indefinitum gebrauchtes,
einfaches oder zusammengesetztes, Nomen.

pr. int. = als Pronomen interrogativum gebrauchtes,
einfaches oder zusammengesetztes, Nomen.

pr. pers. = Pronomen personale.

pr. poss. = Pronomen possessivum.

pr. refl. = Pronomen reflexivum.

präf. = Präfix.

sing. = Singular.

suff. = Suffix.

v. = Verbum, Verbalstamm.

v. act. = Verbum activum.

v. def. = Verbum defectivum.

v. impers. = Verbum impersonale.

v. pass. = Verbum passivum.

v. irr. = Verbum irregulare.

vgl. = vergleiche.

A. n. 1) Wasser, Fluss, Flüssigkeit; 2) pr. poss. 2. P. Sing.: dein. a-pua, dein Geld; 3) cf. aj; 4) n. Rohrflöte cf. ae; 5) pr. dem. suff.

aa-tze (und aja-tze, wörtl. Wespenbaum, vgl. aja che im Cakchiquel); n. comp., ein Fruchtbaum, den die Ladinos „Matasano" nennen.

ab n., Hängematte.

a-bey v., reisen (wol von aj-bey).

a-bi v., fragen.

a-bi-l pr. int., wer; a-bi-l cat a-yate-n, wen hast du getödtet?

a-bi-l-ete pr. int., wem gehörig, wessen Eigenthum; a-bi-l-ete u-cabal-e, wem gehört dieses Haus?

a-bi-l-i-bal pr. int. comp., wem gehörig, wörtl.: wer sein Vater?

a-bi-s-t-e pr. int. comp., wem, an wen, mit wem.

a-bi-n v., wissen (wörtl. gefragt haben).

a-bi-s-t-e = a-bi-l-s-t-e, eine häufiger als dieses gebrauchte contrahirte Form.

a-bi-s-t-i-bal pr. int., wem gehörig, a-bi-s-t-i-bal u-cabal-e, wem gehört dieses Haus?

a-bi-s-t-uc pr. int., mit wem; a-bi-s-t-uc cat a-kos-eb, mit wem hast du dich geprügelt?

ac v., nass machen.

ac-al n. v., nass.

ac-al-il n., die Nässe, der nasse Zustand.

ac-sa v. compuls., machen, dass etwas nass wird.

a-cun n., der Zauberer, Arzt.

a-cux adv., nur, allein, ohne Begleitung; a-cux-un-ka-nah-e beni, sie allein gehen (contr. v. an-cux?).

ach v., zählen; ach-ri-ya, gezählt (für ach-bi-ya).

achi-s-bal n., das Bad, der Badeplatz.

achi-n-uj v., sich baden.

achi-n n., baden, bade (imp.).

a-chit (für at-chit) v. impers. comp., es gibt eine gewisse (kleine) Quantität; a-chit a-pua, du hast etwas Geld; a-chit cu-pua, wir haben etwas Geld.

ae n. (auch ah-e und a gesprochen), Rohrflöte.

aj präf., bedeutet die Person, welche eine Thätigkeit oder einen Beruf ausübt, sowie den Bewohner eines Ortes. Häufig zu a gekürzt.

aja n., Wespennest.

aja tze vid. aa-tze.

aj-hub n., Blasrohrschütze.

aj-tzum n., Gerber.

a'k 1) n., Zunge, Ruthe (Sohlingpflanze); 2) v., geben; a'k ta-chuch, gib es deiner Mutter.

a'k-bal n., Nacht.

a'k-bal s-mat adv., die vergangene Nacht.

a'k-can v.comp., verlassen, an einem Orte lassen; a'k-can tzi-tzi, lass es dort.

a'k-chal n., Kohle.

a-k'i n., Wahrsager (zahori).

ak'on 1) v., arbeiten. 2) n., Arbeit.

ak'on-bil n., Arbeiter.

al 1) n., schwer, gewichtig. Davon leitet sich ab: 2) n., das Kind, die Leibesfrucht, das Erzeugniss; 3) part. loc., dort; mat-in al chucun, ich gehe dorthin, um zu pissen; 4) v., sagen, erzählen, Erw. al-a.

al a n. comp., der Bach (Kind des Flusses, kleiner Fluss).

al-al n., das Gewicht; rual t-al-al, viel sein Gewicht, sehr schwer.

al-a-n v., Kinder haben, gebären.

al cab n. comp., Honig (Product der Süssigkeit).

a-le-bal n., die Maisknehenbäckerin.

al-ib n., Schwiegertochter.

al-i-ben-e adv., dorthin (wörtl.: dort sein Gehen von diesem).

al-i-cu-e adv., hinab, nach unten (wörtl.: dort sein Hinabgehen von diesem).

al-i-cu-ruet-e adv., ganz unten, ganz hinab (wörtl.: schon [ist] sein dort Hinabgehen von jenem).

al-i-he-a adv., hinauf, oben, nach oben, dort oben (wörtl.: dort sein Hinaufsteigen).

al-mica n., der Himmel.

al-t-el-e adv., draussen (wörtl.: dort sein Hinausgehen).

al-t-oc adv., drinnen (wörtl.: dort sein Hineingehen), auch: hierher, näher.

al us n. comp., Mosquito (wörtl.: Kind der Fliege).

al za'k (für al cha'k) n., der junge Mann.

al zuzuac v., das junge Mädchen.

an v. def. der Bewegung ("rennen" im Cakchiquel), das im Ixil nur in einigen Compp. als Präfix auftritt, wie an-chit, an-cux, wo häufig der ursprüngliche Begriff des Laufens ganz verdeckt ist. Ich vermuthe denselben Stamm an auch in der Partikel tan (t-an wörtl. im Laufen, corriendo), vgl. diese.

anab n., Schwester.

an-chit-e adv., zu viel.

an-cux adv., selbst; an-cux-in-ben-in, ich gehe selbst. [1]

[anion] n., Herz (cor). Vom Spanischen herübergenommen.

[antiono]-chit-u adv. corr., vor Alters, vom spanischen "antiguamente".

aqu'en und aqu'in n., Bret.

a-sub-e v., gähnen.

at 1) v. irr. impers., es gibt, ist vorhanden; at un-pua, es gibt mein Geld, d. h. ich habe Geld. 2) Mit suff. pron. subst.: sich an einem Orte befinden; at-in t-n ru-otzots, ich bin zu Hause, wörtl.: es gibt mich in meinem Hause. (Vgl. Gramm. S. 78.)

at-etz, es gibt von.... At-etz uvu-e,

---

[1] Die Indianer übersetzen mit an-cux das spanische „mismo" (selbst). Doch zeigt die Bildung aus zwei Verbalstämmen, die beide eine (rasche) Bewegung andeuten, und viele Beispiele, dass die Bedeutung ursprünglich die von „ahora mismo" und nicht von „mismo" allein ist; z. B. an-cux-in la un-ch'aon-ruutz, ich gehe (sofort) mir das Gesicht waschen (me voy á lavar la cara).

es gibt von ihm, d. h. er hat. *at-et-etz-ex*, ihr habt.

at-ic, irreg. Durativform von *at at-ic t-u-vu-otrotz in*, ich befinde mich in meinem Hause.

at-il n. v., das Sein an einem Orte *at-il in*, *at-il ax* etc.

at-vuet, es hat schon gegeben, es ist nun abgeschlossen, *at-vuet cu-yol*, wir haben es nun gesagt, fertig abgeredet(lo tenemos dicho), wörtl.: es ist schon unser Wort (vorhanden).

atz n., seltene Form statt *etz*.

atz'am n., Salz; *atz'am-vuet-e*, es ist gesalzen, es hat schon Salz darin.

a-t'zib n., Schreiber.

atzic n., der ältere Bruder.

atz'ui (für *atz'ami*) v., salzen.

atz'ui-l-iya partic. pass., gesalzen.

a-tzo n., Truthahn.

a-tz'ac n., Maler.

a-tz'is-o-l n., Schneider.

au....e pr. dem., jener; *au-ch'o-cop-e*, jenes Thier.

au-nah-e pr. dem., jener.

aun-k'a-nah-e cf. *un-k'a-nah-e*.

auvo-e cf. *uvu-e*.

avna-l n., die Maissaat.

avua-l-iya partic. pass., gesäet, ange-pflanzt.

avnu-n v., säen, pflanzen (besonders Mais).

avua-n-al n., der Säemann.

aru-e, vgl. *uru-e*.

avu-ib cf. *ru-ib*.

avui-bal n., Schläfe.

avuiu-bal (für *avuib-bal*) n., vgl. *avui-bal*.

ax pr. subst. 2. p. sing. du. Ge-wöhnlich mit den Fragepartikeln *ma* oder *maj* verbunden als *ma-ax* oder *maj-ax*.

a-xa-bal (für *a-xam-bal*) n., der Wanderer.

a-xan v., gehen.

B.

Ba suff. verb., zur Bildung von Im-perativen *ik'o-ba* lies zusammen.

baj-il (für *ba'k-il*) n., Knochen, das harte Gerüste, der harte Kern eines Gegenstandes; *baj-il ung-vui*, mein Schädel (wörtl.: der Knochen meines Kopfes).

baj-la adj., knochenähnlich, mager; *baj-la na*, ein magerer Mensch.

ba'k n., der (einzelne) Knochen, das Harte, der Kern einer Sache; *ba'k ung-vuatz*, der Augapfel (wörtl. der Kern meines Gesichtes).

bal n., Vater; (*i-bal-a-bal*: Stief-vater.)

bal-aj n., Hülle des Maiskolbens (tusa).

bal-aj-on-tzil n., blutsaugende Fle-dermaus, welche Nachts die Hüh-ner angreift.

bulam n., Jaguar (Felis onca L.).

bal-axi, Reverentialform von *bal*; *Dios bal-axi*, Gott-Vater.

balu'ch n., Schwager.

bun n., gut, gesund, wohlschmeckend, hübsch.

ban, erw. *ban-e* v., machen, thun, legen.

ban cnx-t-u, sehr gut, ganz wohl, gesund.

bun-e-ba, gut denn.

ban-il n., die Güte einer Sache; *nim-la ban-il*, auf grossartige Weise.

ban-la adj., gut, geliebt, liebens-würdig; *ban-la na*, ein guter Mensch.

ban-t-e partic. act., gemacht haben; ban i-ban-t-e, er hat es gut gemacht (wörtl.: gut sein Gemacht haben).

ban-t-u partic. act., gemacht haben, ban-t-u chi, das Gemacht haben des Garns, d. h. das Garn ist gesponnen.

ban-o-l n., der Fabrikant, berufsmässige Verfertiger einer Sache; ban-o-l pop, der Mattenflechter, ban-o-l xab, der Sandalenschneider.

ban-o-n aud ban-x-n v., machen, legen, gemacht haben.

ban-o-n-s-t-e v., ausweiden.

ban-o-n-al-s-t-e n., der Herausnehmer der Eingeweide, der Schlächter.

ban-s-t-e v., ausweiden.

ban-xi v. pass., gemacht werden, gesund werden.

ban-xi-yu partic. pass., gemacht worden sein, gelegt worden sein.

ba-xi v. pass., gesund werden, hergestellt werden (contr. aus ban-xi).

belu-chuj-il belu-chuj-il, von 9 zu 9.

ben v., gehen; ben-in s-et-i-ex, ich gehe mit euch (wörtl.: ich gehe an euerm Rücken, d. h. hinter euch, da die Indianer auf der Reise einer hinter dem andern zu gehen pflegen); ben wird häufig als Hülfszeitwort gebraucht: gehen, sich in Bewegung setzen, um etwas zu thun; ben-in un-lej-e, ich gehe ihn einzuholen.

ben-oj v. opt., gehen wollen oder sollen; ben-oj un-k'a-nah-e, sie sollen gehen; ben-oj ex, gehet ihr!

bey n., Weg.

bi n., Name.

bil n., die kleine Quantität, ein wenig; at un-bil n-ixin, es hat ein wenig Mais.

bit n. (für bit-at?), die kurze Spanne Zeit; un-bit cux-t-nl-e, es ist noch nicht lange her, seit er kam (wörtl.: ein wenig nur sein Gekommensein).

bit cux-t-n adv., nur ein wenig.

bit-el adv., noch nicht; bit-el y-nl-u, er ist noch nicht gekommen.

bitz v., singen.

bix v., tanzen.

bix-a-n n. v., der Tanz; bix-a-n quye, der Rehtanz („baile de venado", eine indianische Pantomime).

bix-oj v. opt., tanzen wollen.

bix-o-m n., der Tänzer.

bix-sa-bal n., die kleine Schale (von den Ladinos „yuxual" [mexic. yuxulli] genannt), in welcher das untere Ende der Spindel sich dreht. Wörtl.: dasjenige, womit, oder worin (die Spindel) tanzen gemacht wird.

bo (vor Vocalen boj) n., eine kurze Zeit; a'kon-ben un-bo, gebe ein wenig arbeiten.

boch, erw. boch-e v., zusammenlegen, einwickeln.

boch-l-iyu partic. pass., zusammengelegt, eingehüllt.

bo'che (fast bodsche lautend) v., umrühren, durcheinandermengen, mischen.

bolay n., der Puma (Felis concolor L.).

bolol n., die (einzelne) Pflanze, die Staude.

buchul n., die Arbeit.

bu'k, erw. bu'k-e v., ausreissen.

bu'k-e-bal k'i n. comp., der Ort, wo die Sonne herauskommt, der Osten.

bu'k k'i v., das Herauskommen der Sonne über den Horizont.

bu'k-u-u v., ausreissen.

C.

Ca 1) u., Mahlstein (*metate*) zum Mahlen des Maismehles, des Cacao etc., Schleifstein; 2) v., bleiben, verweilen; *ca-en t-otzotz*, bleibe du zu Hause. In diesem Sinne ist *ca* identisch mit dem *cah* der Maya von Yucatan, und bildet die Wurzel für eine Reihe von Ableitungen, denen stets der Begriff des Irgendwoseins, Bleibens, Wohnens innewohnt, z. B. *caj-a-yil*, alle, *ca-t*, es war, blieb, wo? *ca-n* etc. Das im Ixil apokopirte *h* des ursprünglichen Stammes erscheint wieder in *caj-ayil*, alle. Vgl. dieses.

cab n., Süssigkeiten, wie Zucker, Honig.

ca-bal u., Haus, Hütte (wörtl.: der Ort, wo man bleibt, wohnt).

cab-en adv., übermorgen.

cablano n., Erdbeben (vgl. *cab-r-nkan* im Cakchiquel).

ca-cab-il i-ca-cab-il n, num., von 2 zu 2.

ca-ca-il i-ca-ca-il u., num. von 4 zu 4.

ca-chit vid. *cat-chit*.

cak'ou v., kauen.

caj adj., roth.

caj-al n., die rothe Farbe einer Sache, das Blut.

cajayil (für *caj-a-il*, vgl. *ca* 1) (identisch mit *cak-il* der Maya von Yucatan) pr. ind., alle.

caj-chu'c n., rothe Insekten wie die Blattschneiderameise (Atta fervens Latr.), auch Skorpion.

caj-i'k n., Wind.

caj-is n., der Camote, cultivirte Nährpflanze (Batatas edulis Choisy).

cat-ab chit-u adv., viel.

cal cux-t-u adv., wenig.

cal-en adv., morgen.

cal-bal n. (fast *cal-cual* gesprochen), der baumwollene Lendengurt.

cam 1) pr. int., was, wie? *cam a-bi*, wie ist dein Name, wie heissest du? 2) v., sterben.

cam-al und *cam-al-a* (wörtl.: was sagst du?) adv., vielleicht; *cam-al ul ja-bal s-k'ej-al*, vielleicht kommt morgen Regen; *cam-al ye la ul-i*, vielleicht kommt er nicht.

cam-al-a-bi-? pr. indef. comp., irgendein.

cam-e pr. int., was? was ist dies?

cam-ic k'i n. comp., Sonnenstrahlen.

cam-naj-l-u part. perf., gestorben. *cam-naj-l-u-ruet-e*, er ist schon todt.

cam-n-ia part. pass., todt, gestorben.

cam-t-al-a adv., was gibt es? (wörtl.: was sein Sagen, was sagt er?)

cam-t-etz adv., warum? was ist sein Grund? *cam-t-etz ma ye cat cuat-ax s-a'k-bal*, warum hast du gestern Nacht nicht geschlafen?

ca-n (n. verb. von *ca*, bleiben), part., welche anzeigt, dass der Erfolg einer Verbalthätigkeit ein dauernder ist: *cat ban-l-a-can un-yol*, ich habe es gesagt und dabei bleibt es.

can-e v., berühren; *tuc un-can-e*, ich will es berühren.

can-ic adv., wie gross, wie geformt? *can-ic i-quye*, wie gross ist diese? *can-ij* adv., wie viel: *can-ij i-han-il*, wie viel ist sein Werth?

can-o adv., ja, gewiss, so ist es.

ca-paj-al n. num., zweimal.

ca-t (vor Consonanten häufig blos *ca*, 1) Partikel, welche als Verbalpräfix die Vergangenheit des Verbalinhalt» bezeichnet; *ca-t ban-ri a'k-bnl*, es ist schon Nacht geworden.

In *ca-t* steckt ohne Zweifel die Wurzel *ca*, bleiben, irgendwo dauernd verweilen. Das suffigirte *t* dürfte ein Rudiment des V. impers. *at* sein, welches sich auch in der Verbindung *cu-t* zu finden scheint. *Ca-t = ca-at* würde also bedeuten: es ist geblieben oder bleibend; *cu-t = cu-at*: es ist abgefallen (vgl. *cu-t k'ab*, *cu-t oj*).

2) erlangt *ca-t* die Bedeutung von „wo", „wohin"? ferner: „Das irgendwo Sein" vorzugsweise in Zusammensetzungen *ca-t cux at i-ca-t?* wo ist er wol? (á saber, onde está), *ca-t-tu ca-t ar* wohin gehst du? vgl. *ca-t-ic, cat-i-ca-t* etc.

ca-t-íc part. int., wo, wohin? *ca-t-ic i-ben-na?* wohin ist er geflohen, wörtl.: wohin sein Gehen des Mannes?

ca-t i-ca-t part. int., wo ist er? (wo sein Sein?)

ca-t un-ca-t part. int., wo bin ich (wo mein Sein?).

ca-uj, erw. von *ca*, bleiben. Wird in Imperativen gebraucht: *ca-uj uru-t t-u-t-otzots*, er soll zu Hause bleiben; *ca-uj ex* und *ca-uj can ex t-et-otzots*, bleibt ihr zu Hause; *oj un-k'a-nah-e ca-u t-u t-otzots*, sie sollen zu Hause bleiben.

ca-tuit-tsau adv., vorgestern.

cay n., bitter, Bitterkeit.

cayampal n., Blitz. Vgl. *coyopa* in der Uspanteca.

cax-bi v. poss., sich verletzen.

cax-bi-naj-l-u partic. act., sich ver-

letzt habend, verletzt; *cax-bi-naj-l-u-ruet-e*, er hat sich verletzt.

[*caxlan*] adj., weiss; *caxlan cua*, Brot, wörtl.: weisse Tortilla; *caxlan na*, ein Greis (weisshaariger Mann). Eigentl. Corr. vom span. castellano. (Vgl. Gramm. S. 98.)

caxlan tziom n., der Singvogel „Guarda barranco".

co v. def., Aufforderung zum Gehen: *co-cu-cul-e*, gehen wir ihm entgegen; *co-cu-lej-e*, wir wollen ihm nachgeben.

coach n., Futtergras.

coh, erw. *coba* v., sich bücken, *coba-eb*, bücke dich.

coc n., Schildkröte.

co-e v., das Maisfeld vom Unkraut befreien; jäten (hacer roza).

coe-bal n., das aus dem Maisfeld gejätete, zum Verbrennen bestimmte Unkraut (roza).

col-e v., 1) rennen, dann auch: müde werden; *col-ía* part. pass., müde. Auch in Zusammensetzungen als Präfix mit der Bedeutung „beim Laufen", „rennend"; *col cat cu in*, beim Rennen bin ich gefallen. 2) Aufheben, bewahren; *col un-boj in*, hebe es mir ein wenig auf.

colich n., der „Huipil", das indianische Weibergewand.

col-o-bal und *col-o-bal-t-ett* n., der Aufbewahrer einer Sache, Hüter.

col-o-n v., 1) rennen; 2) aufbewahren.

col-o-n-al n., der Hüter.

colop n., Vogelei.

com n., Maisfeld.

con n., erw. *con-e* v., schiessen.

con-o-n v., schiessen.

con-o-n-al n., Schütze.

co-on v. def., gehen wir, lass uns geben.

cop-ac'ach n., Küchlein, junges Huhn.

cop-chan n., wildes Schwein.

corojcum n., eine wilde Taubenart.

[coton] n., die wollene Jacke der
männlichen Indianer.

cox adj., lahm, hinkend (Corr. des
spanischen cojo?).

cox-eb v. refl., sich niederlegen, zu
Bette gehen.

cu 1) v., fallen, ausgleiten, herabnehmen; cu-en al-i-cu-e, lege dich
auf den Bauch.

2) pr. poss. 1. p. pl., unser; cu-
bal s-al-unica ax-at-il ot, unser Vater im Himmel du hist (Beginn
des Paternoster).

cuc n., Eichhörnchen (Sciurus Ca-
rolinensis Gmel.).

cuch-e v., lehren.

cuch-u-n v., lehren.

cuch-u-n-al n., Lehrer.

cu-k'i adv., spät (wörtl.: die Sonne
sank).

cul n., Herz, Gemüth, Seele.

cul-a v., begegnen, aufsuchen, entgegengehen (wie culla gesprochen).

cul-bal n., das Ende, der Grund,
der Ort, wo beide Seiten einer
Sache sich begegnen; cul-bal t-ib
i-xol-vuits, der Grund der Barranca.

cum n., Taube.

cu-naj-l-e partic., billig (von cu).

cus n., Zopilote (Cathartes atratus).

cu-t oj[1] adj. comp., einbeinig (wörtl.:
sein Bein ist abgefallen, von cu
und at).

cu-t k'ab adj. comp., einhändig,
wörtl.: seine Hand ist abgefallen.

cux 1) n., Unterschenkel, Wade;
2) v. def. der Bewegung, gewöhnlich als Imp. 2. p. Sing. gebraucht
lauf! gehe! cux ruato, gehe schlafen! häufig als Verstärkung zu
andern Verben der Bewegung;
cux col-a, laufe! cux-el v. def.
comp., gehe, cux-el echbu tci,
gehe dorthin, um zu trinken.

cux-t-u adv., allein, ausschliesslich,
ung-enal cux-t-n, einer allein.
Ueber das Suffix t-u in cux-t-u
vergleiche S. 124.

C'.

C'a n., 1) Floh; 2) Mehl aus geröste-
tem Mais (Pinole); 3) Brücke.

c'ach n., Tragnetz für die Lasten,
welches die Indianer am Stirnband tragen.

c'ach-o-l a'k-chal n., der Köhler,
der mit einer Last Kohlen im
Tragnetz hausiren geht.

c'al n., Klafter, ein mit horizontal
ausgestreckten Armen bestimmtes
Längenmaass.

c'al-al n., unm. Zwanzig.

c'al-a v., anbinden.

c'al-pi (für c'al-bi) v., angebunden
werden.

c'al-pi-ya partic. pass., angebunden.

c'am n., Tagelöhner, gemietheter
Feldarbeiter.

c'am-a v., leihen.

c'am-l-e partic. act., geliehen haben.

---

[1] Es läge nahe, cut oj als cu t-oj, sein Bein fiel ab, aufzufassen,
wenn nicht das folgende cut k'ab statt cu i-k'ab bewiese, dass das t hier
nicht das pr. poss. vor vocalischem Anlaut, sondern wahrscheinlich ein
rudimentäres at ist, vgl. ca-t, bi-t etc.

c'ax-o-x v., leihen.

c'ax-o-x-al n., der Pfandleiher.

c'a-ol n., Sohn.

c'ax-a v., bereuen, cat ux-c'ax-a, ich habe es bereut.

c'axc'oxn-gesegnet; c'axc'oxnkarui-xa-x-l-c x-i-xai caj-a-yil-c ixo, wörtl.: gesegnet wirst du über allen Frauen (aus dem Englischen Gruss).

c'xy v., verkaufen.

c'ay-i-bal n., Marktplatz.

c'ay-i-x v., verkaufen.

c'ay-i-x-al n., Verkäufer, Händler.

c'o n., Gesichtsmaske bei den indianischen Tänzen.

c'x-xx-xe n., die Hinterbacken, wörtl.: Maske meines Steisses.

c'xy n., Affe.

c'xx-x-x-c v., beissen (von Schlangen), jucken. xxal i-c'xx-x-x-e, es juckt sehr.

c'xy n., Grossmutter, alte Frau, auch: Hebamme.

Ch.

cha, chao n., 1) die Nachricht, Botschaft, auch Wortwechsel, Streit, Process; 2) v., besuchen, um eine Nachricht zu bringen, zu plaudern.

chae, chaqu-c v., steif machen, zum Stehen bringen, im Laufe still halten.

chac-al k'i n. comp., mittags.

chacau n., taub, schwerhörig.

chac-l-cl-c partic., steif, aufgerichtet.

chaj-c v., schälen; chaj-cl-ba, schäle.

chaj-na pr. dem. 3. p. pl. jene (Männer), sie, vgl. cha-na und cha'k-na'k.

chaj-tzi (für chac tzi) v., schweigen

(wörtl.: den Mund zum Stehen bringen).

chajub n., Thau, Nachtluft (sereno).

chaj-ul n., wenige, xx-chaj-ul cuxt-x, nur wenige.

cha'k-na'k pr. dem. comp. 3. p. pl. jene Männer, sie, vgl. chaj-na und cha-na.

cha'k v., beflecken.

cha'k-al n., der Hautfleck, die entzündete Hautstelle, Blutschwär.

cha'k-x-l-iya partic. pass., befleckt.

cha'k-x-n v., beflecken.

chalx (auch xala gesprochen) adv., bezeichnet die Gegend, Oertlichkeit, namentlich am menschlichen Körper: hier, auch: bis hierher. chalx ti xn-k'al, meine Rippengegend.

chalx un-cux, meine Schenkelgegend.

chalx un-tzi, meine Mundgegend, d. h. mein Unterkiefer.

chal-xzi adv. rever.: Guten Tag.

chal-xaj-l-cl vor, (örtl.) chal-xaj-l-cl-in, vor mir.

cha-na vgl. cha'k-xa'k, jene, sie.

cha-x v., essen, vgl. ch'an.

cha-xal n., gesottener Mais, Speise.

chao, chaj n., Streit, Process, Wortwechsel.

cha-o-x v., essen, vgl. ch'a-x-x.

chaqu-ch v. refl., sich stellen, aufrichten, auch: anhalten, stehen bleiben; chaq-ch-cx, halt! bleib stehen!

chaqu-ch-oj v., aufstehen wollen.

chax, erw. chaxa adj., grün, blau, ferner: frisch, unreif; chaxa chíx, frisches, ungesalzenes Fleisch (fast wie chyax gesprochen).

chax-al n., das Grünsein.

cha-xamal, glühende Kohlen.

chax-bi v. pass., grün werden.

char-bi-ya partic. pass., grün geworden.

chax-nal n., das Grünsein, der unreife Zustand des Mais; charnal-chit-com, das Maisfeld ist noch sehr grün.

chay n., Fisch.

chay-o-n-al n., Fischer (auch cheyo-n-al gesprochen).

che (oft xe gesprochen) v., erwarten; tuc-un-che und tux-un-xe, ich erwarte.

chel adv., sofort, schnell, vgl. xchel; chel t-ul-e, ich komme sofort wieder.

cheu n., Tinaja, grosser Henkelkrug.

chequ-il n., gut, hübsch, Hübsche; rual i-chequ-il i-yol-o-n-e, er spricht gut.

cheu n., kalt, Kälte, Eis, Schnee, Frost, Schüttelfrost beim Wechselfieber; cheu t-uc xam-al, Frost und Hitze, d. h. das Wechselfieber.

chi n., Garn, Faden.

chic n., Weiberrock.

chicong, chieun n., Frijol, die schwarze Bohne (Phaseolus vulgaris Savi, var.).

chicham n., das Hausschwein.

chinay n., Huisquil, eine den Cucurbitaceen zugehörige Nutzpflanze.

chinam n., Baumwolle.

chiol (chyol gesprochen) n., Körper, speciell der Brusttheil, Oberkörper, die Brust; chiol ixo, die weibliche Brust.

[chip] n., 1) Fleisch. Corr. aus dem spanischen „chivo“, Ziegenbock; 2) Hode.

chit n., das eine grössere Quantität bezeichnet: viel, sehr, gross. Heutzutage meist in Verbindung

mit dem span. mas gebraucht: mas chit xauial, sehr grosse Hitze. chit lautet häufig fast dschit oder quyit. Ich vermuthe, dass in chit der Stamm quyi oder yiy stecke, welcher „wachsen, gross werden“ bedeutet, und der auch dem Nomen quye die Grösse, Form eines Gegenstandes zu Grunde liegt. Ihm identisch ist qu'iy, viel, in den Quiché-Sprachen. Das Suffix t in chi-t wäre alsdann als Rudiment von at aufzufassen, wie in bi-t etc., und chi-t würde also bedeuten: es ist gewachsen, also gross.

chit-u (für chit t-u) n. comp., viel, gross, sehr; cierto chit-u cat rual-s-t-e, sehr gewiss, ganz bestimmt habe ich es ihm gesagt. Ueber das Suffix t-u vgl. S. 124.

chitzilt v., böse werden; ye chitzilt ax, werde nicht böse.

chitzilt-uj v., zornig werden; tua chitzilt-uj in, ich werde böse werden.

chix n., der Tamal (ein Gericht aus Maismehl und Fleisch), die Speise, Mahlzeit.

cho, erw. choa, choc v., zahlen.

cho-bi v. pass., bezahlt werden.

cho-bi-ya partic. pass., bezahlt.

chok'ol n., Koth.

cho-n v., bezahlen.

chu n., 1) die Herrin, Gebieterin; 2) weibliche Brust; 3) verrückt.

chuc-u-u v., uriniren, pissen.

chuch n., die Mutter.

chu-chu n., weich.

chu-chu-bal n., die Amme, Würterin; auch für „Stiefmutter“ gebraucht.

chul-i-k'i n. comp., reich; auch choli-k'i und chyol-i-k'i, gesprochen.

chul-ul n., der Fruchtbaum Zapote (Lacuma sp.).

chul-u-na-l-e(für *chul-u-naj-l-e*) partic. zart, weich, noch jung, von Früchten, aber auch vom Mond im ersten Viertel: *chul-u-na-l-c ï-c*, der Mond ist noch jung, zart.

chumbali v., denken, überlegen; *chum-bali-ba*, überlege es dir.

chumbau n., trübe, die trüben Bestandtheile einer Flüssigkeit; *cut el i-chumbau*, sein Trübes ist herausgekommen, es ist jetzt klar.

chumun n., traurig, Traurigkeit.

chun n., Kalk.

chun-a-m-al n. coll., der Kalkbewurf.

chunchul n., Geruch, Gestank.

chupte n., eine kleine Quantität.

chus, erw. *chus-e* (fast wie *chyus* und *chyuse* lautend) v., lehren, lernen.

chus-u-n v., lehren, lernen.

chus-u-n-al n., Lehrer.

Ch'.

Ch'a, erw. *ch'ae* und *ch'ah* v., waschen, reinigen.

ch'a-bal-t-etz n., der Seiher, Wäscher (Person und Werkzeug).

ch'a-bi v. pass., gewaschen werden.

ch'a-bi-ya partic. pass., gewaschen, sauber.

ch'a'ch n., Bett.

ch'amxuy n., der Guayavabaum (Psidium).

ch'a-n v., 1) zu Stuhl gehen, defäciren, wörtl.: sich reinigen; 2) essen.

ch'a-o-n v., 1) waschen; 2) essen.

ch'axua n., Erde, Boden.

ch'i 1) n., Hund; 2) v., heissen.

ch'i-bi v. pass., gebissen werden.

ch'i-bi-ya partic. pass., gebissen.

ch'i'ch n., Eisen.

ch'i'ch-il n., Härte, Kraft.

ch'i-la adj., gefährlich, böse, reissend, zornig, giftig (wörtl.: hundeähnlich).

ch'i-la ch'o n., ein giftiges, gefährliches Thier, speciell: die Schlange.

ch'i-la xu n., ein böser, zornmüthiger, streitsüchtiger Mensch.

ch'ix n., Dorn.

ch'ix-al n., Dornbusch, Gedörne.

ch'o n., klein, in jeder Dimension, dann substant.: kleines Thier, speciell die Maus.

ch'o-cop n., Thier, Insekt.

ch'o-i-xuatz n. comp., schmal (wörtl.: klein seine Fläche).

ch'oj v., schulden.

ch'oj-o-l n., Schuld.

ch'ou n., Schmerz; *xual-i-ch'on x-ul*, ich habe Leibschmerz, wörtl.: viel sein Schmerz meines Bauches; erw. *ch'one* v., krank sein, weh thun (fast *ch'yone* lautend).

ch'o-t-i n. comp., dünn, wörtl.: klein sein, Kücken.

ch'u n., der Vogel Zanate (Quiscalus macrourus).

ch'umil n., Stern.

ch'ut n., der Miltomate (Lycopersicum esculentum Mill. var.).

ch'uy-ch v., aufhängen.

ch'uy-eb-ya part. pass., aufgehängt.

E.

E 1) n., Schneidezahn; 2) pr. poss. 2. p. pl. euer; *e-pua*, euer Geld; 3) n., welches zur Bildung zahlreicher polysynthetischer Verbindungen dient, und welchem der Begriff einer Wesenheit, Körperlichkeit innewohnt. So bildet es mit dem pr. dem. *u* zusammen *utu-e* (*u-e*) er, jener. Mit dem Pron. poss. entsteht *ru-e, i-e*, wel-

ches als Suffix transitiver Zeitwörter (ban-o-n-e-t-e, ausweiden),
ferner einiger Nomina, tz'a-t-e,
heiss sein Körper, chit-e (für
chit t-e), viel, auftritt.

Beispiele wie das folgende:
in-nic-ru-a'k-o-u-ru-e, ich arbeite,
thue meine Arbeit, lassen vermuthen, dass e auch wie etz eine
Form des polymorphen ruatz sei.
eb, suffigirtes pr. refl. 2. p. sing. dich;
maj-la-xib-eb, du bückst dich. Eb
entspricht dem arib der Quiché-
Sprachen.

ec (am Schluss der Phrase eguye
lautend) part., so, auf diese Weise,
vgl. equ-i-quye.

ec-chit-e, so ist es.

ec-chit-e eguye, so, so.

e'e n., der Maguey (Agave ameri-
cana L. var.)

echa v., wägen, messen.

echa-bal n., die Wage, das Maass.

echa-l-in part. pass., gewogen, gemessen.

echbu v., geniessen, trinken.

echbu-bal n., das Getränk, Nahrungsmittel, auch: Mahlzeit.

ei v., hinausgehen; el-en, gehe hinaus. In Compos. sinkt es zu einer
blosen Partikel herab, der aber
oft noch die Bedeutung von
„draussen, hinaus" innewohnt;
al-t-ei-e, draussen (wörtl.: dort
sein Hinausgehen). Vgl. mat-el.

ei-e n., dieser, jener.

el-k'a v., rauben, stehlen.

el-k'a-l-iya partic. pass., gestohlen.

el-k'-o-n n., der Dieb.

el-sa v., wörtl.: herausgehen machen,
daher: wegnehmen, ausziehen; el-
sa-etz oc-sa-m, ziehe dein Kleid aus.

el-sa-i-caj-al v. comp., wörtl.: sein
Blut herausgehen machen, d. h. zur

Ader lassen; el-sa-i-caj-al-ba, lasse
ihm zur Ader.

el-sa oc-sa-m v. comp., sich ausziehen, die Kleider wechseln.

el-ya part. pass., hinausgegangen,
weggenommen, ausgezogen, ge-
wechselt.

eguye part., so, = ec.

equ-i-quye, so gross; wörtl.: so seine
Grösse.

eguy-oj-u'chi, so geschehe es.
Schlussformel der Gebete.

et-etz .... ex, für euch.

et-ib pr. refl. 2. p. pl. euch (suff.).

etz n., welches ich ursprünglich
„das Vermögen, Besitzthum" be-
deutete, heutzutage aber nur noch
als Suffix transitiver Zeitwörter
und in Verbindung mit pr. poss.
vorkommt in der Bedeutung
„mein, dein etc. (Vgl. Gramm.
S. 39.)

e-tz-an und e-tz-an-e adv., bald, sofort; e-tz-an ul-in, ich komme
gleich zurück. Als Verbalsuffix:
tz-an; molo-tz-an, rufe schnell
(tz-an = ch-anin [Cakchiquel]).

ex pr. subst. 2. p. pl. ihr.

ex-l-al (für ech-l-al) n., das Zeichen
(vgl. et-al in den Quiché-Sprachen).

I.

I 1) n., der Körper, hauptsächlich
Rücken; 2) die Rinde, äussere
Hülle; 3) pr. poss. 3. p. sing. und
pl. sein, ihr (in Verbindung mit
suff. pron. subst.) vor consonantischem Anlaut: i-ch'i u-na sein
Hund; 4) pron. dem. suff.

iboy n., Gürtelthier.

ic siehe ec und iqui.

i'e n., rother Chile (Capsicum an-
nuum L.).

8*

icun n., Oheim, Muhme.

i coc n., Schildkrotenschale.

i'ch n., Mond, Monat.

ih erw. iha v., tragen (von i).

ih-a-n ih-atz, der Lastträger, wörtl.: derjenige, der eine Last auf dem Rücken trägt (von i).

ih-atz n., Last.

ih-rual (für ih-bal) n., 1) das Stirnband (mecapal), an dem die Last getragen wird; 2) der Riemen (mecate), der um die Last geführt wird, um sie zu schützen.

ik'o v. (häufig fast ek'o lautend), tragen, sammeln, zusammenlesen; ik'o-ba lien zusammen! ik'o-l-iya zusammengelesen.

ik'o-u 1) v., tragen; 2) n., Träger.

ik'o-n acach n., der Tacuacin (Didelphys quica Natt.), wörtl.: derjenige, der die Hühner wegschleppt, Hühnerräuber.

ik'-o-n-cu-tzan v. comp. (schnell) herabnehmen (einen Gegenstand).

ik'-o-n-he v. comp., hinaufheben (Gegenstände).

ik'o-n-tzan v., schnell bringen.

il v., 1) ausruhen; 2) sehen, lesen.

il-e-bal n., der Rastplatz am Wege.

il-oj v. opt., ausruhen wollen; il-oj-un-huj-in, ich will ein wenig ausruhen.

il-o-u v., sehen, lesen.

in pr. subst. 1. p. s. ich.

ipa (häufig fast wie epa lautend) v., stossen.

iqui pr. dem., dieser, dieses; iqu-i-u-nah-e, dieser Mann; iquy-e, dieses. Identisch mit ic und ec.

i-s-ha'k, unter ihm.

ital n., die Mahlzeit.

i tze n., Baumrinde.

il-z'e-bi v., geboren werden.

-itz'-in n., der Jüngste der Familie; jüngerer Bruder; jüngere Schwester.

-itz'in-ib n., Nichte.

itz'in un-k'ab n., der kleine Finger, wörtl.: der Jüngste meiner Hand.

ix-c'a n., der Fingernagel.

ixim n., der abgekörnte Mais (häufig auch ixin gesprochen).

ix-k-el n., die Gattin.

ixo, erw. ixoh-e n., Frau, Weibchen (auch von Thieren), ixo chicham, die Sau.

ixqu'in n., der Tenamaste, d. h. die drei Steine, die als indianischer Kochherd dienen. Vgl. xiquin.

H.

ha'k n., wird nur in Zusammensetzungen gebraucht in der Bedeutung von unter, hinab; s-us-ha'k, unter mir.

hah, erw. hah-e v., öffne, hah-pu-in, öffne mir.

hah-el partic. perf., offen, geöffnet; hah-el-ruet-e, es ist schon offen.

ham-il n., Werth, Preis; hat-rual i-ham-il, wieviel ist sein Preis, was kostet es?

hat adv., wieviel?

hat-paj-ul, wie viele male, wie oft.

ha-t-u adv., wann; ha-t-u la on-ar, wann wirst du ankommen?

hat-rual adv., wieviel? hat-rual ex, wie viele seid ihr?

he 1) n., Schweif; 2) v., hinaufsteigen; he-em-ba, steige hinauf.

heel-el n., Bündel, Arm voll; un-heel-el coach, ein Bündel Sacate (vgl. kel. unarmen).

hel, erw. hel-e v., umfassen, umarmen.

h'k-b v. pass., ertrinken.

hit part. neg., nicht; *hit jul mas,* es ist nicht mehr tief (wörtl.: nicht Loch mehr).
hu n., Nase, Nasenloch.
hub n., Blasrohr.

J.

Ja-bal n., Wassertropfen, Regen.
jach, erw. *jach-e* v., vertheilen.
jaj v., rufen; *ni-jaj-in u-nah-e,* ich rufe jenen Mann.
jajon i-c'am-l-e v. comp., geliehen verlangen.
jal n., Maiskolben.
jel v., geboren werden.
ji n., Schwiegersohn, Schwiegervater.
ji-ixo n., Schwiegermutter.
jijoch-il n., die Weichheit; *vual i-jijoch-il,* es ist sehr weich.
ju-jun-il pr. ind., jeder.
jul n., Höhle, Loch, Grund der Barranca.
jun-un pr. ind., jeder.
jun-un i-jun-un, von eins zu eins.
jup-e v., schliessen.
jup-el partic., geschlossen haben; *jup-el i-cuatz,* mit geschlossenen Augen.
ju-cuitz n., Felswand (für *jul-cuitz*).

K.

K pr. poss. 1. p. pl. vor vocalischem Anlaut: *k-otcotz,* unser Haus.
ka, erw. *ka-e* v., pressen, quetschen; *kah-a,* presse!
ka-eb v. refl., niederknien; *ka-eb-en,* knie nieder! *Ka-eb-ya,* auf den Knien.
ka-eb-oj v., niederknien wollen.
kal v., umarmen; *kal-u-in,* umarme mich!
kala n., Regenzeit.

kalen adv., morgen; *kalen ma-la-ben-ax,* morgen gehst du.
kanal n., Hofraum (patio).
katz-e v., sich kratzen.
katz-o-n v., sich kratzen.
kau v., zurückkehren, sich in einen Zustand begeben, werden; *kau-en-tzan,* kehre sofort zurück; *kau-ia u cheu,* es ist wieder kalt geworden.
kau-i-sa v., zurückkehren machen, kommen machen, werden machen.
kau-i-sa-n-l-e partic., zurückgekehrt, geworden.
k-etz pr. comp., für uns, unser.
k-ib suff. pr. refl. 1. p. pl. uns; *o-la-cu-xib-a-k-ib,* wir bücken uns.
kin v., ziehen; *kin-i-ba,* ziehe.
kos, erw. *kos-e* v., schlagen, prügeln; *kos-ba,* schlage.
kos-bi v. pass., geschlagen werden; *kos-bi-ya,* geschlagen.
kos-oj v. opt., schlagen wollen.

K'.

k'ab n., Arm, Hand.
k'ab-a-n v., sich betrinken.
k'ab-a-r-el n., der Betrunkene, Säufer.
k'ab ca n., Handwalze des Maismahlsteins.
k'ab tze n., Baumast.
k'al-am adv., frühmorgens; *k'al-am la ul-ax,* du wirst früh kommen.
k'al-t-e n. comp., zerbrochen.
k'an adj., gelb.
k'an-al n., das Gelbsein, die gelbe Farbe.
k'an-bi v. poss., gelb werden; *k'an-bi-ya,* gelb geworden.
k'an-bolay n., der Puma (Felis concolor L.).
k'an-cau n., der Blitzstrahl.
k'ej 1) adj., schwarz; 2) erw. *k'ej-e* v., faulen.

k'ej-bi v., schwarz werden.

k'e-naj-e partic., faul, verdorben (Früchte, Holz).

k'es n., alt (mir nur in seinen Ableitungen bekannt).

k'es-bi v. pass., alt werden, voll werden (vom Mond).

k'es-bi-ya i'ch n., Vollmond.

k'es-la adj., alt.

k'i, k'ih und k'ij n., Sonne.

k'inum n., der Jocote, ein Fruchtbaum (Spondias sp.).

k'ob-ett n., der Trommelschläger.

k'om n., Dach.

k'on n., Schritt, langsam; k'on a-ben-e, du gehst Schritt vor Schritt.

k'on-i k'on-i adv., nach und nach.

k'opo n., die Jungfrau (virgo), das ledige Mädchen.

k'ul n., Rücken.

k'up n., Stein, steinig.

L.

La part., zeigt in Verbindung mit dem Verbum an, dass die Verbalthätigkeit noch zu erfolgen hat; la cam-in, ich werde sterben.

lac-bi v. pass., sich erheben, sich setzen, aufstehen; lac-b-en, stehe auf; lac-b-ia, sitzend.

la'tz cuatz v.comp., beschäftigt sein.

le n., Tortilla, Maiskuchen.

lej, erw. lej-e n., einholen.

lej-la v., reden, sprechen.

lob-etz n., Baumfrucht.

loch'-e v., helfen.

loch'-o-n-al n., Hebamme, wörtl.: Helferin.

lok', erw. lok'-e v., kaufen.

lo'k-bi v. pass., gekauft werden.

lok'-l-e (für lok'-o-l-e) part. aot., gekauft haben.

lok'-o-l n., Käufer.

lok'-o-n v., kaufen.

lok'-o-n-al n., Käufer.

luclnch-e v., zittern.

M.

Ma part. int. et opt. ma at ax t-otzotz, hist du zu Hause? Weil die Frage der gewöhnliche Grund der Aurede an die zweiten Personen ist, so erscheinen ihre Pronomina unzertrennlich mit ma verbunden; wa a-bi-e, dies ist dein Name; ist dies dein Name? ma ax n-a-lucluch-e, du zitterst; zitterst du? ma-a pr. poss. 2. p. sing. dein (vor Vocalen blos ma); ma-otzotz, dein Haus.

maatex v., saugen.

ma-ax pr. subst. 2. p. sing. du.

mach-e (xamal) v., Feuer anmachen.

mach-l-u part., angezündet haben.

maj v., fangen, mit dem Netze fischen.

moj-bal chay n., Fischnetz.

maj-o-l n., Fischer.

ma ec-chit la-e-ban-e, so soll es geschehen.

ma-et......ex pr.poss. 2. p.pl. euer; ma-et-otzotz-ex, euer Haus.

ma-etz pr. poss. comp., dein; ma-etz u-ca-bal-e, dieses Haus ist dein Eigenthum.

ma-ex pr. subst. 2. p. pl. ihr.

mam n., Grossvater, Aelteste.

mam un-k'ab n., der Daumen, wörtl.: der Aelteste meiner Hand.

mat 1) v., gehen; 2) Contr. von ma-at, hat es, gibt es? m-at on, hast du Husten?

mat-el v., hinausgeben; mat-el in, ich gehe hinaus.

mat-in v., ich gehe, häufig als Gruss gebraucht, lebe wohl.

ma'tz-il izim n, mit Wasser ge-
mischtes Maismehl, Teig.

ma'tz-i-n jal n., unreifer Mais, Elote.

meal n., Tochter; i-meal i-c'a-ol
tenam, Töchter und Söhne des
Dorfes, Einwohner.

meba n., Arme, nackt, verwaist;
meba chit-u, yel i-chuch, er ist
ganz verwaist, er hat seine Mutter nicht mehr.

mele'c n., Rippen.

meuj n., stumm.

mes n., Katze. Corr. des mexicanischen miztli.

[mexa] tze n. comp. (corr. vom span.
mesa), Holzgestell zum Tragen
zerbrechlicher Waaren (cacaxte).

moch v., fertig machen, beendigen.
moch verbindet sich zuweilen adverbial mit andern Verbalstämmen, z. B. moch-col, müde werden, wörtl.: rennen, bis man nicht
mehr kann; o ca(t)-moch-col-i-o,
wir haben uns müde gerannt;
moch-quiy, fertig wachsen, daher
erwachsen sein.

moch-sa (oft mox-sa gesprochen) v.,
fertig machen, vollenden.

m-oj (oft m-uj) part. comp. int. et
opt. (ma-oj).

m-oj-a-bi-l pr. indef., irgendeiner;
m-oj-a-bi-l cut ban-o-n, irgendeiner hat es gethan.

m-oj-az pr. subst. 2. p. sing. du;
m-oj-az a-bey, du reisest. Vgl.
ma-az.

m-oj-ex pr. subst. 2. p. pl. ihr; m-oj-
ex la sic'al-ex, ihr raucht, wollt,
werdet rauchen.

mol v., zusammenbringen, aufhäufen;
mol-ba, bringe zusammen! daher
auch: zusammenrufen, herbeiru-
fen; mol-o-tzax, rufe ihn schnell!
Ferner: als v. refl. (mol-eb) sich

auf der Reise zu einer Gesell-
schaft zusammenthun, sich begleiten; cu-mol-o-k-ib-ba, wir wollen uns begleiten.

mol-ax v. pass., zusammengebracht
werden.

mol-ax-iya partic. pass., aufgehäuft.

mol-el n., llaufen.

mox-sa vid. moch-sa.

mu n., Schatten.

muj 1) v., verbergen, begraben; muj-
eb, verbirg dich! muj-im-ba, begrabe! (wol von mis); 2) conj.
oder; ma ban muj ye ban, ist es
gut oder nicht? (identisch mit
m-oj).

muj-el n., der Ort, wo man sich oder
etwas verbirgt, der Winkel.

muj-el-iya partic. pass., verborgen
(worden) sein.

muj-l-u partic. act., verborgen haben.

mus n., Bezeichnung, welche die
Indianer den Mischlingen (Ladinos) geben.

mutznul ja-bal n., feiner Regen (llo-
vizna).

N.

N praef. verb., n-a-sa, du willst;
n-e-sa, ihr wollt.

na, erw. nah-e n., Mann, Mensch.

nab n., See.

nach-eu adv., fern, weit weg; mas
nach-en tenam, das Dorf ist weit
weg.

na'ch v., 1) haben, empfinden, fühlen; o wi-cu-na'ch cheu, wir haben
kalt; 2) sich erinnern; na'ch-ba,
erinnere dich!

na'ch-o-n v., fühlen, sich erinnern.

nah-e vid. na.

najli, najlij adv., nahe; najli cu-
otzotz, nahe meinem Hause.

n-ic praef. verb. für die Gegenwart und nächstes Zukunft. *Niqu-i-nima-n-e Santa Maria*, ich grüsse dich, heilige Jungfrau.

nim n., gross, Grösse.

nima v., gehorchen, dann auch: begrüssen; dienen.

nima cux-t-u, gehorche!

nima chit-u, gehorche!

niv-al n., die Grösse, dann auch: viele (multi).

nima-n v., gehorchen, dienen.

nima-n-al n., der Dienst.

nima-n-k-atz n., der Diener.

nim chit n. comp., sehr gross; *nim chit i-guye u-ca-bal-e*, dieses Haus ist sehr gross.

nim chit t-i n. comp., dick, wörtl.: sehr gross mit Hinsicht auf die Rinde.

nim i-ruatz n., breit, wörtl.: gross seine Oberfläche.

nim-la adj., gross.

nim-la a n., grosses Wasser, See.

nim-la ban-il n. comp., gross, grossartig; wörtl.: gross die Güte.

nim-la bey n. comp., wörtl.: grosser Weg; die Furche im Maisfeld.

nim-la tze n. comp., „grosser Baum", der Baumstamm (trozo de madera).

nim-la rual-e n., Beiname Gottes in den Gebeten „der grosse, erhabene Herr"; *s-e-re at-il-at Diox nim-la rual-e*, mit euch ist Gott, der Herr (aus dem Engl. Gruss). Vgl. *nim acal*, im Pokouchi (bei Gage).

nim t-ul n. comp., tief, wörtl.: gross sein Eingeweide, sein Inneres.

no v., füllen.

no-naj-l-e partic., voll, gefüllt; *no-naj-l-e gracia*, du bist voll Gnade (aus dem Engl. Gruss).

no-sa v., füllen.

no-yia part. pass., voll.

O.

O 1) pr. subst. 1. p. pl. wir; 2) n., Fuss. In dieser Bedeutung häufig *oj* lautend.

oh (häufig *o* gesprochen) n., der Aguacatebaum (Persea gratissima L.).

oc v., hineingehen.

oc-sa v., 1) hineingehen machen, hineintreiben, dann: 2) anziehen (Kleider); *ru-oc-sa ru-oc-sa-m*, ich ziehe mein Kleid an; ferner: 3) glauben; *ru-oc-sa Dios bal-axi*, ich glaube an Gott den Vater (vgl. im Cakchiquel: *tan ti-ru-oqu-i-zah chi Tiox Tata-atz*); endlich: 4) versprechen (als v. reß.) versprechen *la ru-oc-sa-ru-ib*, ich verspreche.

oc-sa-m n., Kleid.

oc-sa-n-etz n., Dolmetscher.

oc-ya part. pass., hereingekommen; *oc-y-u-kala*, die Regenzeit ist hereingebrochen.

och'e n., junger, unreifer Mais.

oj 1) v., fliehen; *oj-en*, fliehe! 2) part. opt., die als Bestandtheil des Verbums (*ben* gehen, *ben-oj* gehen wollen, zu gehen beabsichtigen) und in der Verbindung *os-oj* auftritt, und den Wunsch, die Absicht ausdrückt; *oj* kommt in der Bedeutung „wollen" nicht als selbständiges Verbum im Ixil vor, dagegen im Papulucen-Dialekt des Cakchiquel: *ojó* und *ajó*, wollen).

ok'e v., schreien, einen Ton von sich geben.

o'k-sa v. (wörtl.: schreien machen), ein Instrument spielen.

o'k-sa-n-t-etz n., der Musiker; o'k-sa-n-t-etz u-ae, der Flötenbläser.

o'k-sa u-ae v., die Flöte blasen.

o-l-il o-l-il n. num., von 5 zu 5.

on n., Husten.

oqu-en-yul (von oc), gehe hinein! komm herein!

oguye, Reverentialform: du (?).

os-oj part. opt. comp., möge doch; os-oj la ul-i, möge er doch kommen; os-oj-tech-cu-etz, mögest du gesund sein. Auch: falls, wenn (condit.), os-oj a-bi-l ye la ul-i, falls einer nicht kommt.

otz-otz n., Haus.

otz'aj-i-n v., wissen, verstehen; otz'aj-in-t-etz i-ban-l-u chi, er kann spinnen.

otz'aj-l-e partic. act., können; tu-otz'aj-l-e in, ich verstehe, weiss; wörtl.: mein Wissendsein von mir.

ox n., weibliche Scham.

ox-ox-il i-ox-ox-il n. num., von 3 zu 3.

oya v., schenken; oya-s-ru-e, schenke mir! oya-n, geschenkt haben.

P.

Pa 1) n., Herr, Gebieter; 2) v., erw. pa-e, wägen, messen.

pach n., die kleine Hütte im Maisfeld für den Feldhüter.

pa'ch n., der Rüsselbär (Nasua nasica L.).

pa-e-l-euct-e, gewogen.

pa-i'c (fast pa-i'ch gesprochen) n., der grosse Tomate (Lycopersicum).

pala n., Gesicht, Antlitz.

pa-o-n v., messen, wägen.

pa-o-n-al n., der Messer, Wäger.

[patux] n., Ente. Corr. vom span. pato.

pa'tz n., das wilde Rohr, Schilf, Bambus.

pau n., Schuld, Sünde; col-o-co e-t-ul-pau, erlöse uns vom Bösen.

pau-i-naj-l-u partic., gesündigt haben.

pax v., spalten, zerbrechen, pax-in-ba, zerbrich!

paxi-l-iya partic. pass., zerbrochen.

pax-ya partic. pass., zerbrochen.

pe n., Haufe des Wohnplatzes.

pech n., Haken zum Aufhängen der Gegenstände.

pechick n., Spindel.

pel n., Hahnenkamm.

pel-ey n., Hahn.

[pexu] n., Wage. Corr. vom span. peso.

[pial] n., Seil. Vom provenz. fial.

pich-o-n v., Mais ernten.

pich-o-n-al n., der Einsammler der Maiskolben.

pich-o-n-oj n., ernten wollen, sollen.

pix v., drehen (von Stricken), anbinden.

[pix-e]-u-jal v., Mais abkörnen. Corr. vom mexic. pixca (ni).

pix-l-ia partic. pass., angebunden, zusammengedreht.

po n., Eiter, Wundsecret.

pococh n., die Mitte zwischen zwei Gegenständen oder Zeitpunkten, die Hälfte.

pococh a'k-bal n., Mitternacht.

pococh i'ch n., halb voller Mond.

pococh t-e, "die Hälfte". Un-cual tuc un-pococh-t-c, anderthalb.

po'ch, erw. po'ch-e v., pressen, quetschen; po'ch-ba, presse; po'ch-l-a, gepresst.

pojo n., Sand, Pulver, Staub.

pop n., Bastmatte.

potzom n., Pfeiler, Stützbalken, Bauholz.

pua und puak n., Silber, Geld.

Qu.

Quye n., 1) Reh (cervus virginianus und rufinus); 2) Grösse, Form eines Gegenstandes, *ec-i-quye*, so gross, dies seine Grösse; 3) v., auf dem Reibstein mahlen, dann auch: schleifen (häufig *chye* lautend).

quye-bal n., die Maismahlerin.

quye-l-ia partic., gemahlen.

quyem v., weben.

quyem-bal n., Webstuhl.

quyem-o-l n., Weber, Weberin.

quyetam v., schleifen, schärfen.

quyeruex (fast *chyeruex* lautend) n., die Anona (Anonae variae spec.).

quis v., kehren, Unrath answischen.

quis-bal n., Besen.

quis-l-iya partic., ausgekehrt.

quixi n., der Tacuacin (Didelphys spec.).

quyi (oft fast *yiy* und *ch'yi* gesprochen) v. wachsen.

quyi-ya partic. pass, aufgezogen, erwachsen.

quyi-sa v., wachsen machen, aufziehen (Vieh etc.).

Qu'.

Qu'im n., Stroh, Gras.

qu'isis n., Ceder.

R.

Rip n., Frosch.

S.

S' präp., auf einen Ort hin, an einem Orte; *s-at-mica*, im Himmel.

sa v., wollen, beabsichtigen, dann: begehren, lieben (ein Mädchen).

Als Suffix an andern Verbalstämmen bildet es aus diesen Verba compulsiva; *oc*, hineingehen, *oc-sa*, hineingehen machen (wörtl.: wollen, dass etwas hineingehe). Vgl. die analogen Bildungen auf *-isaj (sah)* in den Quiché-Sprachen und in der Maya.

sa cab vid. *saj cab*, weisse Erde.

sach v., spielen.

sach-i-n v., spielen.

sach-i-n-al n., Spieler.

saj und *sah* adj., weiss, hell, durchsichtig.

saj-al n., die Weisse.

saj-bi v. pass., weiss werden.

saj-bi-sa v. act., weiss machen.

saj-bi-sa-l-iya partic. pass, weiss gemacht.

saj-bi-ya partic. pass., weissgeworden.

saj cab n. comp. (wörtl.: weisse Süssigkeit), weisse Erdart, welche die Indianer als Gewürz benutzen; Kreide.

saj patz n. comp., Hagel (vgl. *saj boch* im Cakch.).

saj u'k n., die Laus.

sak-il n., Weisse, Helligkeit; *sak-il tuc s-a'k-bal*, bei Tag und Nacht.

s-a'k-bal adv., gestern nachts.

sa k'ij n. comp., Trockenzeit (für: *saj-k'ij*, helle Sonne).

sani'c n., Ameise.

sap v., losbinden; *saru-ba*, binde los! (für *sapu-ba*).

sap-il-iya partic. pass., losgebunden.

s-benamen adv., wunderbar.

s-cu-ha'k o, unter uns.

s-cu-cuatz o, vor uns.

s-e pr. comp. 2. p. s. für dich.

s-e-ba ax (für *s-a-iba*) pr. comp. 2. p. s. über dir.

sel n., Guacal, Schüssel aus einer halben Kürbisschale.

semich n. vid. tzemich.

s-et-e adv., gestern.

s-et-iba ex pr. subst. 2. p. pl. über euch, auf euch, auf euch zu.

s-et-tenn adv., vorgestern.

s-e-cuatz ex, vor euch.

s-e-xe, mit euch.

si 1) n., Brennholz. 2) präp. vide s.

sib-il n., Dampf, Rauch; sib-il a, Wasserdampf; sib-il zamal, Rauch vom Feuer.

sibqui v. pass., anschwellen, geschwollen werden.

sibqui-naj-l-e partic. pass., geschwollen.

si'c n., Eidechse; langes, dünnes Thier.

sic'-al 1) n., Cigarre, Tabak. 2) v., rauchen; o la sic'-al o, wir rauchen.

sijma v., reinigen, sich schneuzen; n-un-sijma un-bu, ich schneuze meine Nase.

s-in-xe, mit mir, bei mir; lo'k-on s-in-xe, kaufe bei mir!

sip n., Rauch.

si paj-ul chit-u, viele male, oftmals.

siqu'in-e v., schreien, pfeifen, zwitschern (von Vögeln, vgl. ttiqu'in, der Vogel).

si-cual (für sij-bal) n., Nasenlöcher.

s-k-e pr. pers. comp. 1. p. pl. für uns, uns.

s-k-iba o, über, auf, gegen uns.

s-k'ej-al adv., morgen (v. k'ij, Sonne).

s-maximal n. comp., links.

so n., Stimme.

solin-al n., Gewebe.

sos v., verzeihen, vergessen; sos-un-pau in, verzeihe meine Sünden!

sos-hi v. pass., vergessen, verziehen werden.

sos-al n., Verzeihung.

sotz-ya (für sos-ya) partic. pass., vergessen; o cat woch-sotz-y-u s-cucul, wir haben es vollständig vergessen (es war von uns vollständig vergessen worden in unserm Herzen).

so'tz n., Fledermaus.

s-t-e pr. pers. comp. 3. p. sing. ihm, für ihn.

s-t-iba, über, auf ihn, sie; s-t-iba un-k'a-nak-e, auf jenen.

su, erw. su-n v., reiben, frottiren; su-in-ba, reibe mich!

such v., umrühren, durcheinandermachen.

such-l-iyña partic. pass., umgerührt.

suj n., leicht, behend; suj chit i-be(u)-na, leicht geht dieser Mann, leichtfüssig.

sulub n., Schmetterling.

s-un-ha'k, unter mir.

s-un-ru.tz ix, vor mir.

sut n., Tuch, Umschlagtuch, Umhüllung.

su'tz n., Wolken.

s-cuatz un-k'a-nak-e, vor ihnen.

s-cuatz uru-e, vor ihm.

s-ru-e pr. pers. comp. 1. p. sing. mir, für mich; a'k s-ru-e, gib mir!

s-ru-iba in, auf, über mir.

T.

T 1) pr. poss. 3. p. sing. und plur. vor vocalischem Anlaut. 2) = ti (vor vocalischem Anlaut).

ta(n)a-tix-ba t-e Dios: Gott sei Dank.

tan häufig blos ta, adv., jetzt, im gegenwärtigen Moment; tan at cu-a'kon, ich habe jetzt zu thun

— 124 —

tan ni-ch'on-e uru-e, er ist jetzt krank.

tan tix s-e, Dank sei dir!

t-e vid. e sub 8).

techen v., sich wohl befinden; techen eurt-u, ich bin ganz wohl. Ma techen-ets, bist du wohl? wie geht es dir?

techeba und techebon, wohlan denn.

[tenam] n., Dorf, Ortschaft. Corr. vom mexic. tenamitl, die Umzäunung aus Steinen, Stadtmauer.

t-etz pr. poss. comp. 3. p. sing. sein.

teu n., scharf; m-at teu ch'ch, ist das Messer scharf?

ti praep., in, an einem Orte, auf einen Ort hin.

ti-a-k'ul ax, hinter dir, hinter deinem Rücken, gegen dich.

t-ib pr. refl. 3. p. sing. und pl. sich.

t-i-ben-a-bal k'i, im Westen, in (ihrem) Untergang der Sonne.

t-i-bu'k-e-bal k'i, an dem Ort, wo die Sonne heraufkommt, im Osten.

ti-cu-k'ul o, hinter uns.

tichuj-l partic., lebend sein; o ti-chaj-l o, wir leben.

ti-e-k'ul ex, hinter euch.

ti--i-k'ul und t-i-k'ul, hinter ihm, ihnen.

t-il-un-etz, schnell, in einem Zuge (en una carrera).

tin-e v., krachen, rollen (vom Donner); mas chit ni-tin u-k'an-cau, heftig rollt der Donner.

ti-pococh, in der Mitte.

ti-un-k'ul, hinter mir.

tix v., danken; tan tix s-e, Dank dir; ta a-tix-ba t-e Dioz, danke (da) Gott!

to'ch v., anpicken (von Vögeln), stechen (von Insekten), beissen (von Schlangen).

to'ch-bi v. pass., gestochen werden; to'ch-bi-ya partic. pass., gestochen sein.

tocto und tactul n., Dunkelheit, dunkel.

to'k, to'k-e v., einziehen, eine Schuld eintreiben.

tonox n., Banane.

t-u 1) praep. comp. (ti-u) in, auf etwas hin, zu; t-u a'kbal, bei Nacht; t-u tenam, auf das Dorf hin; t-u cabal, im Hause; 2) Suffix einiger Nominal- und Verbalstämme, z. B. chitu (für chit-tu), cuxtu, hatu. Seine Analyse ist in diesen Fällen schwierig; ich vermuthe darin das pr. poss. 3. p. sing. verbunden mit einem Stamme u, der heute Buch bedeutet, früher aber den Kalender bezeichnete. Die obigen Formen hätten danach zunächst temporale Bedeutung; chit-t-u, viel seine Zeit; ha-t-u, wieviel sein Kalender? cux-t-u, schnell.

t-uc 1) conj. mit ihm, und s-et-uc mit euch; 2) Verbalpräfix der Zukunft, tuc ch'an-oj in, ich will essen; werde essen.

[tucul] n., Nachteule. Corr. vom mexic. tecolotl.

t-u-chit-juch, heimlich.

t-u-chit-jun-k'i, täglich.

t-u-juj, in der Tiefe.

t-u-jun-un [lado], jederseits.

t-u-jun-un k'i, jeden Tag.

t-u-jupe, an der Ecke.

t-u-k'i, bei Tage.

t-u-mujel, im Winkel.

tut n. Indianischer Regenmantel aus Palmblättern, von den Ladinos „Soyacal" genannt.

Tz.

Tza u. 1) Fichtenbaum (Pinus sp. var.), Kienspan, Kienspanfackel; 2) Asche (auch *tzaa* gesprochen).

tzaj v., mager werden, ausgedörrt werden.

tzaj-i adj., mager, trocken; *tzaj-i chay*, getrockneter Fisch; *tzaj-i chip*, getrocknetes Fleisch.

tzaj-oj v., mager werden.

tza'k v., fett werden.

tza'k-al n., fett, mit Fett zubereitet; *tza'k-al chip*, in Fett gebratenes Fleisch; *tza'k-al na*, ein fetter Mann; *tza'k-al t-u-chu*, mit prallen Brüsten.

tza'k-be v., antworten; *tza'k-be-ba*, antworte.

tza'k-be-bal n., Antwort; *tza'k-be-bal ruet-e*, die Antwort ist schon da.

tza-sa v., auslöschen, wörtl.: zu Asche machen.

tzatz-al n., Atole, dünnflüssiger versüsster Brei aus Maismehl.

tzatz-la adj., dem Atole ähnlich, dünnflüssig, dickflüssiger als Wasser.

tza-ya part. pass., ausgelöscht, Asche geworden.

tze n., Baum, Baumstamm.

tzej v., wegwerfen; *tzej-l-el-e*, weggeworfen haben.

tze-il n., Stamm, das harte Gerüst im Innern eines Körpers; *tze-il ti-n-k'ul*, Rückgrat, Wirbelsäule, wörtl.: der Stamm in meinem Rücken.

tzel n., vid. *sel*.

tzelen v., lachen.

tzemich (auch *semich* lautend) n., 1) der Comal, eine flache Schüssel zum Rösten der Maiskuchen;

2) die Fusssohle; *tui un-semich* (Kopf meiner Fusssohle), der Knöchel.

tze-sa v., verbrennen; *tze-ya* partic. pass., verbrannt.

tzi 1) n., Mund, Schnabel; 2) adv., hier, hierher, dort.

tzi-le adv., dort.

tzimay n., Trinkgefäss aus der Frucht des Calebassenbaumes (Crescentia).

[*tzinta*] n., Kopfschmuck der Indianerinnen. Corr. vom span. cinta.

tziqu'in n., Vogel.

tzis v., nähen.

tzis-el partic., genäht haben; *tzis-el-ruet-e*, schon genäht haben.

tzis-o-n v., nähen.

tzis-o-n-al n., Näherin, Schneider.

tzi-tza adv., hier, hierher, dorthin. *tzi-tza bit cuc-t-u*, noch ein wenig hierher.

tzi-tzi adv., dort; *tzi-tzi al-t-el-u*, dort draussen.

tzo'c (fast wie *tzog* gesprochen) v., schneiden, abschneiden; *tzo'qu-in-ba*, schneide ab!

tzo'c-bi v. pass., abgeschnitten werden.

tzo'c-bi-ya partic. pass., abgeschnitten.

tzojnobe v., husten.

tzu n., Gefäss aus dem Flaschenkürbis (Tecomate).

tzub n., Speichel.

tzuc n., Haarbüschel.

tzuj, *tzuj-e*, *tzuj-u-n* v., ausreissen.

tzun n., Leder, Hieb mit der Lederpeitsche.

tzum-eb v., heirathen.

tzum-el n., Gatte.

tzum-l-el-e partic. act., verheirathet; *ixo tzum-l-el-e*, eine verheirathete Frau.

tz-nng-ruatz, vor mir, in meinem Angesicht.

tzup-ul und *tzup-o* n., ein Stück von einer Sache, kleine Quantität.

tzuqu-el n., schön, hübsch.

tzucual n., Geruch, Gestank.

Tz'.

Tz'a n., Ilitze, heiss.

tz'a-bi v., heiss werden.

tz'a-bi-sa v., machen, dass etwas heiss wird, erhitzen.

tz'a-bi-ya partic. pass., heiss geworden, erhitzt.

tz'ac v., malen; *tz'ac-a-ba*, male!

tz'ac-a-t-iya partic. pass., gemalt worden sein.

tz'ac-a-n n., Maler; *tz'ac-a-n ca-bal*, der Anstreicher der Häuser.

tz'ah-e v., färben; *tz'a-bu* (für *tz'ah-bu*), färbe!

tz'aj-bal tzi n. comp., Lüge.

tz'aj-o-l tzi n. comp., Lügner; *tz'aj-ol tzi cux-t-equi*, er lügt blos, ist nur ein Lügner.

tz'aj tzi v., lügen; *ye cux a-tz'aj tzi*, lüge nicht!

tz'al n. (für *tz'a-al*), warm; *tz'a-l á* heisse Quelle.

tz'a-l-ii-l-iya partic. pass., gefärbt worden sein.

tz'a-o-n v., färben.

tz'a-o-n-al n., Färber.

tz'a tzi v., dürsten; *ni-tz'a un-tzi*, ich dürste.

tz'a-t-e, schwitzen; *n-un-tz'a-t-e*, ich schwitze.

tz'ib v., schreiben; *tz'ib-en*, schreibe!

tz'ib-oj v., schreiben wollen.

tz'il n., Schmuz, schmuzig.

tz'il xamal n. comp., die Funken des Feuers.

tz'ot n., blind, einäugig.

tz'ot vuntz n., einäugig.

U.

U bildet in Verbindung mit Nominalstämmen das Pron. demonstr. „dieser, jene". Gewöhnlich wird dem Nomen noch *e* suffigirt; *u-ca-bal-e*, dieses, jenes Haus.

u-bal n., Windfächer zum Anfachen des Feuers (für *hub-bal*).

uc vide *t-uc*.

uc'u n., Getränk, Atole.

u'ch-e und *u'ch-i* v. def. (od. nomen?), geschehen, angeordnet werden; *equy-aj-u'ch-i*, so geschehe es (Schluss der Gebete); *la cu-ban t-u'ch-e*, wir wollen es in Ordnung bringen (wörtl.: wir wollen sein Geschehen machen); *cat cuban-l-u t-u'ch-e*, wir haben sein Geschehen gemacht.

u'k n., Laus.

ul 1) n., Bauch, Eingeweide, das Innere einer Sache. Dem Begriffe nach vollkommen identisch mit dem *pam* der Quiché-Sprachen; *nim-t-ul*, tief (wörtl.: gross sein Inneres). 2) v., zurückkehren, wiederkommen, mit einem geben, mitkommen; *ul-en si-n-xe*, komm mit mir!

xuul n., Hase (Lepus palustris Bachm.).

un 1) pr. poss. 1. p. sing. „mein"; 2) n. num., in Zusammensetzung mit Stämmen: „eins"; *un-heel-el xi* ein Bündel Brennholz; *un-paj-ul*, einmal; *un* ist die aphäretische Form von *jun*, welches im Ixil nur in Derivaten, wie *jujun-il* und *junun* auftritt, während es in den Quiché-Sprachen seine volle Form beibehält.

Die Aussprache von *un* ist häufig undeutlich und wechselnd, im allgemeinen lautet es vor *b uns*, und selbst blos *m.* Vor Gutturalen und *v* dagegen wird es nasalirt, wie deutsches „ung", ausgesprochen. [1]

u-nah-e pr. dem. comp., „jener Mann", er, jener.

nn-k'a, seltener *un-k'aj*, bezeichnet in Zusammensetzung mit Nominalstämmen die Pluralität: *un-k'a-e*, sie; *un-k'a-nah-e*, mehrere Männer, jene, sie; *un-k'a-tze*, mehrere Bäume.

un-tual n. nom. und pr. indef., eins, ein.

un-tua-t pr. indef., ein anderer; *un-rua-t-na*, ein anderer Mann. *nn-rua-t-el* und *un-rua-t-e* pr. indef., ein anderer. Häufig plur.: andere; *un-rua-t-el izo* andere Weiber.

un-bil n., ein Augenblick, kurze Zeit. *un-bil* n. vid. *un-bil* und *bit*.

un n., fliegenartige Insekten, wie Fliegen, Mosquitos, Bienen.

us-cab n., Honigbiene, auch Honig.

utz'-al n., Zuckerrohr.

uu n., Papier, Buch.

uvu-e pr. dem., jener. Wird auch *auvue, avue* und *ovue* gesprochen.

ux n., Schleifstein.

u.rcuac, uxruaqu-e n., Mädchen, junges weibliches Wesen; vide *xruac*.

V.

Vu pr. poss. 1. p. sing. vor Vocalen: mein; *vu-otzotz*, mein Haus.

cuaja-chaj-il ruaja-chaj-il, von 6 zu 6.

rual (oft fast *bul* gesprochen) n., bezeichnet die grössere Quantität, dann den hohen Grad, viel, sehr; *rual i-ch'on v-ul*, ich habe heftige Leibschmerzen, wörtl.: viel sein Schmerz meines Bauches; *cual i-ch'i'ch-il*, sehr stark, wörtl.: viel seine Kraft. (Vgl. S. 53.)

vuat v., schlafen.

ruat-a-ts n. v., Schlaf.

vuat-oj v. (oft blos *ruat-o*), schlafen wollen oder sollen; *ruat-oj vuet-in*, ich gehe schlafen.

ruatz n., 1) Antlitz, Oberfläche, Oberhaut, Vorderseite. *Vuatz* dient zu einer Menge von polysynthetischen Combinationen, in denen es stets den Grundbegriff der Oberfläche oder Vorderseite im Gegensatz zum Innern oder der Rückseite hat. 2) Frucht. *Vuatz* ist durchaus identisch mit dem *cuach* der Quiché-Sprachen. *vuatz* ist ein höchst polymorpher Stamm, dem auch die Formen *atz, etz* und *e* zu subsumiren sind.

ruatz-aj vuitz n. coll., Felswand.

ruatz-el-e, auf jener Seite; *ruatz-el-e at-il u-a*, er ist auf der andern Seite des Flusses.

ruatz i-kanal u ca-bal-e, im Hofe des Hauses.

ruatz pala n., Stirn.

ruatz tze n., Frucht, Baumfrucht.

cuatz ru-o n., Knie (Fläche meines Deines).

ruatz vuits n., Bergflanke, steiler Abhang.

---

[1] Um die Erkennung des Elements *un* in allen Fällen zu erleichtern, wurde in dieser Arbeit auf die oben erwähnten Aussprachevarianten nur soviel Rücksicht genommen, dass die Schreibung *ung*, neben *un*, beibehalten wurde.

ruaɹaj-il ɛuaɹaj-il, von 8 zu 8.

rnaɹcheel (für rnal-cheel), gerade jetzt; sehr schnell.

ɛnay-e v., Hunger haben.

ɛnej v., küssen; tuc un-ɛnej u-eniɹo, ich küsse meine Frau.

ɛnej-bal n., Kuss.

ɛuet, erw. ruet-e part., bezeichnet gewöhnlich die Vergangenheit der Verbalthätigkeit; atɹ'am-ruet-e, es ist schon gesalzen.

ɛnex n., Kleid, vorzüglich das indianische Beinkleid.

ɛnex-bul n., Kleidungsstück.

ɛn-et: pr. poss. comp., für mich, mein; ru-etz u-ca-bal-e, dieses Haus ist mein.

ɛnj (fast wie buj lautend) n., der aufgekochte Mais, Pozol.

ɛnju-l-vnil ruju-l-ruil, von 7 zu 7.

rui n., Kopf, Spitze, Finger.

rui-aj n. coll., Finger, Spitze; ɛni-aj eu-o, die Zehen.

ru-ib pr. refl., mich selbst.

ɛnitz n., Berg, Wald, Gebirge, unbewohnte Gegend.

ɛu'tz n., Kissen, Kopfkissen.

ɛuoban n., Strohhut.

ruoernoch-il n., feucht, Feuchtigkeit.

X.

Xab n., Ledersandale, Caite.

ɹaj n., Pflanzenblatt, gewöhnlich: ɹaj tze.

xuj tza n., Fichtennadel.

xaj un-tzi n., Lippe, wörtl.: Blatt (meines) Mundes.

xa'k n. (oft wie cha-'k, xa und cha lautend), neugeborenes Kind.

ɹala vid. chala.

xal-naj-el vid. chal-naj-l-el.

ɹam-al (von xan) n., Feuer, Licht, Fieberhitze.

ɹam-t-el adv., nachher, später.

ɹan 1) v., heranrücken, in die Nähe bringen: in tuc ɹan u-[mexa], ich rücke den Tisch herbei. 2) n., Wand.(In den Quiché-Sprachen bedeutet es die drei Herdsteine, woher im Ixil ɹam-al abgeleitet wird.)

ɹan-sa (auch xa-sa) v., herbeikommen, sich nähern; ɹan-s-en-tzan (für ɹan-sa-en-tzan), komm sofort herbei!

ɹnom-la adj., gross.

ɹaom-la a n. comp., Fluss, Strom.

ɹarne v., erbrechen.

ɹaɹon, dünn, schmächtig.

ɹchel, ɹchela, ɹcheel (in Zusammensetzung oft chel und cheel) adv., heute, jetzt, sofort.

ɹe 1) n., Wurzel, Basis, After, Steiss.
2) ɹe ɛni v., sich kämmen. Vor Vocalen wird das e elidirt, z. B. tuc un-ɹ-in-rui, ich will mich (wörtl.: meinen Kopf) kämmen; moj la ɹ-a-rui, du wirst dich kämmen. 3) In polysynth. Verbindung mit der Präp. s und den Pr. poss. bezeichnet ɹe die Begleitung: ɹ-cu-ɹe, mit uns. 4) = che, vid. dieses.

ɹec n., das lederne Stirnband (Mecapal) zum Tragen der Last.

ɹe-t-i-sa v., anfangen, beginnen, Wurzel fassen; ɹe-t-i-sa-ta-ba, beginne doch, also.

ɹe un-k'ul n. comp., Hals.

ɹi n., Wolldecke.

ɹiab n., Kamm.

ɹib v., sich bücken, niederkauern.

ɹi'ch n., Feder, Flügel, Falke.

ɹich'-a-n-e v., fliegen.

ɹil n., Haar; ɹil ung-ruatz, Augenbraue; ɹil ung-rui, Kopfhaar.

[ɹila] n., Lehnsessel, Butaca. Corr. vom span. silla.

xis n., Spinne, Spinnengewebe.

xiquin n., Ohr, Ecke, Kante, auch
Feuerherd.

xho-k'-ol n., Koth, vid. *cho'k-ol.*

xjo n., wilder Hund (Coyote, Canis
latrans).

xjov v., erschrecken; *ma la xjoru-ax,*
du erschrickst.

xjoru-i-sa v., erschrecken machen;
xjoru-i-sa-ba, erschrecke (ihn)!

xol n., Höhlung, Tiefe; *xol vuitz,*
Barranca, Waldschlucht.

xol un-cheleb n., Schulter.

xon-eb v. refl., sich setzen; *xon-eb-
en,* setze dich!

xon-l-el partic., sitzend sein; *xon-l-
el-in,* ich sitze.

xop und *xop-i-n,* kauen, quetschen.

xop-i-l-iya partic. pass., gequetscht.

xor-al n., der eingefriedigte Platz,
auf dem die Wohnung steht (Sitio)
(wol für *xol-al*).

xot n., plattenförmiger Gegenstand,
Ziegel.

xot un-ju n. comp., Nasenschleim.

xoc v., sich fürchten, vid. *xjoc.*

xquin vid. *xiquin.*

xu'c (fast *xug* gesprochen) n., Korb,
Geflecht, Spinnengewebe.

xul v., blasen, pfeifen.

xul-u-n v., pfeifen, blasen.

xum 1) n., Blume, Knospe, gewöhnl.:
xum-tze; 2) n., Zwillinge.

xuruac, xuruaque n., Mädchen,
junges weibliches Wesen, Kind
weiblichen Geschlechts. Vgl.
uxruac.

xruac, xruaque n., vid. *xuruac.*

Y.

Ya v., betrügen, verführen.

yab n., Jahr.

yac n., Wildkatze (gato de monte).

yaqu-il n., hart, Härte.

ya'tz v., tödten, schlachten.

ya'tz-bi v. pass., getödtet werden.

ya'tz-l-a partic. act., getödtet haben.

ya'tz-o-n v., tödten, schlachten.

ya'tz-o-n-al n., Schlächter.

ye part. neg., nicht; *ye a-kos-a,*
streite dich nicht!

ye ban n. comp., hässlich, schlecht
(wörtl.: nicht gut).

ye cul, es gibt nicht, hat nicht; *ye
cul al-a-n-i,* sie hat keine Kinder.

ye-cux, gehe nicht hin, um etc.;
ye cux ya l ax s-ru-e, betrüge mich
nicht!

ye-l part. neg., nein, nicht; *ye-l i-
bal,* er hat keinen Vater; *ye-l l-
al,* er hat keine Kinder.

ye-l-ic part. neg. für die Zukunft;
ye-l-ic in-t-u-ru-olxot, ich werde
nicht in meinem Hause sein.

ye-l-ruet, es gibt schon nicht mehr;
ye-l-ruet ru-oc-sa-m in, es gibt
schon meine Kleider nicht mehr,
d. h. ich habe mich ausgezogen,
bin daher nackt.

yetama (auch *etama* gesprochen) adv.
der Quantität: viel; *yetama cheu,*
es ist sehr kalt; *yetama on at-
il o,* wir haben starken Husten.
Yetama ist zur Zeit weder aus
dem Ixil noch aus einer andern
mir bekannten Maya-Sprache zu
erklären. Eine auffallende Ähn-
lichkeit haben die beiden Formen *yetama* und *etama* mit den
mexic. *yetlamantli* und *etla-
mantli* (drei Dinge, Gegenstände),
von welchen sie allerdings durch
den Sinn abweichen und daher
nicht ohne weiteres abgeleitet
werden können.

9

ye-x in Zusammensetzungen statt ye-l.

ye-x-cam (für ye-l-cam), nichts, es gibt nichts, ist nichts vorhanden; ye-x-cam al s-t-e, es ist kein Gewicht in ihm, d. h. es ist nicht schwer; ye-x-cam ni-cu-il-e, ich sehe nichts.

ye-x-cat, nirgends; ye-x-cat i-cat, er ist nirgends, wörtl.: nirgends sein Sein.

ye-x-e-bil (für ye-x-a-bil), niemand, gewöhnlich mit un-rua t verbunden: ye-x-e-bi-l un-vua-t cat ul-i, es ist niemand (mehr) gekommen.

yiy vid. quyi.

yoch n., eingekerbter Baumstamm, der im indianischen Haushalt als Leiter dient.

yol 1) n., Wort; 2) v., sprechen.

yol-bal n., Sprache, Idiom; yol-bal Naba, die Sprache von Nebaj.

yol-a-n v., sprechen.

yol-o-n-oj v., sprechen wollen; yol-o-n-oj-o-baj, wir wollen reden.

yu-bi v., gedrückt werden.

yu-bi-il-iya partic. pass., gedrückt.

yuj-bi v., hüpfen.

yul 1) n. — yol. 2) Suffix einiger Imperative: oqu-en-yul, komm herein !

WORTVERZEICHNISSE DER MAME-, AGUACATECA-, JACALTECA- UND CHUJE-SPRACHE.

VORBEMERKUNG.

Als ich vor ein paar Jahren in einer kleinen Schrift: „Zur Ethnographie der Republik Guatemala", den Versuch machte, die bisjetzt bekannten Idiome dieses sprachenreichen Landes zu klassificiren, war ich schlechterdings genöthigt gewesen, eine kleine Insel im Sprachgebiete der Maya-Familie mangels einschlägigen Materials unbestimmt zu lassen. Ich hatte dieselbe als XV? in die dort gegebene ethnographische Karte eingezeichnet; sie liegt an der Nordgrenze Guatemalas gegen Chiapas hin und wird im Süden von der Mame, im Norden durch das Chañabal begronzt. Juarros hatte irrthümlicherweise das Pokomam als die Sprache der fraglichen Gegend angegeben.

Seither sind mir durch die Güte meines Freundes Prof. Edwin Rockstroh in Guatemala Vocabularien zugekommen, welche die Bestimmung des grössten Theils jener Insel und somit die Einschränkung der Lücke erlauben. Herr Rockstroh hat als Mitglied der Grenzvermessungs-Commission, welche gegenwärtig jenes seit alter Zeit zwischen Mexico und Guatemala streitige Gebiet zu vermessen hat, dasselbe bereist und das sprachliche Material selbst aufgenommen.

9*

Es erstreckt sich dasselbe über die Mame, ferner die
Sprache von *Jacaltenango*, die wir im Folgenden als *Jacalteca*
bezeichnen wollen, und diejenige der *Chuj*-Indianer. Diese
drei Idiome sind nach den Aussagen zahlreicher Personen, trotz
mannichfacher wurzelhafter Uebereinstimmung, sowol unter-
einander als vom *Chañabal* und der Sprache von *Soloma* (für
welche bisjetzt alles Material fehlt) hinlänglich verschieden,
um gegenseitiges Verständniss auszuschliessen. Es ist dies
wol, wie ich später an andern Maya-Sprachen zu zeigen hoffe,
hauptsächlich der eigenthümlichen Entwickelung zuzuschreiben,
welche jede Sprache der Maya-Familie ihrem Verbum gegeben hat, sowie auch den zahlreichen Vorkommnissen
gesetzmässigen Lautwechsels, welchem eine Anzahl von ge-
meinsamen Sprachwurzeln von einer Sprache zur andern
unterworfen ist.

Versuchen wir an der Hand dieses Lautwechsels[1] die Stellung,
welche der Jacalteca und der Chuje naturgemäss zukommt,
soweit bisjetzt thunlich näher zu bestimmen, so finden wir,
dass als ihre nächsten Verwandten das Chañabal einerseits,
und das Mame andererseits in Betracht kommen. Und zwar
scheint, wie das nachstehende kleine Verzeichniss lehrt, die
Sprache der Chujes ohne weiteres, wie das Chañabal, den Tzental-Sprachen zuzugehören, während die Jacalteca eine mehr
vermittelnde Stellung zwischen diesem und den Mame-Idiomen
einnimmt.

---

[1] In allgemeinerer Weise kann derselbe erst zur Behandlung kommen, nachdem eine grössere Anzahl der Maya-Sprachen gründlich durch-
gearbeitet sein wird. Einstweilen sei hierüber auf die Abhandlung
von H. de Charencey: „Sur les lois phonétiques dans les idiomes de la
famille Mame-Huastèque" in „Mélanges de Philologie et de Paléographie
américaines" (Paris 1883), sowie auf die oben (S. 7) gegebenen An-
deutungen verwiesen.

	Maya.	Tzental.	Chaña-bal.	Chuje.	Jacal-teca.	Mame.	Quiché.
Blut	qu'i'c	chiich	chi'c	chi'c	chii'c	chi'c	qu'i'c
Kopf	pol, hool	jol	olom	?	rui	vui	jolom
Nase	ni	nii	ni	ñi	cham	cha	ts'am
Ohr	xiquin	chiquin	chiquin	chiquin	chiquin	ch'quin	xiqu'in
Mund	chi	tii	ti	ti	ti	tzi	chi
Nagel	ich'ac	echak	ech	ech	isc'aj	quyak	ixc'ok
Fuss	oc	ok	ok	ok	oj	kam	akan
Haus	na, otoch	na, otot	na	paat	na, otä!	ja	ja, ochoch
Korb	xac	moch	moch	moch	moch	chil	chacach
Maiskol-ben	nal	nal	jal	nal	nal	jnl	jal
Unreifer Mais	nal	ajan	ajan	ajam	ajam	ij	jo'ch
Chile	ic	ich	ich	ich	ich	i'c	i'c
Frijol	buul	chenek	chenek	tut	jubal	quyenk	quin'ak
Tomate	pac	?	pix	ixpix	ixpix	xcoya	xcoya
Mond	u	vu	ixau	uj	xajan	ixjan	i'c
Stern	ek	ek	k'anal	k'anal	chumel	cheo	ch'umil
Hagel	bat	botj	bat	sak bat	saj but	tzok pako	sak boch
Berg	puuc	ruitz	ruitz	ruitz	vuitz	ruitz	juyub
Erde	luum	lum	lum	luum	choch	ch'o'ch	uleuh
Stein	tun ich	ton	ton	k'een	ch'en	abj	abaj
Baum	che	te	te	inup (Ceiba)	te	tze	che
Blume	nic te	nich	nichim	snich te	(j)amak	(j)amak	c'otz'ij
Dorn	quiiz	chiz	quiiz	quiix	chix	chiz (Ixil)	qu'ix
Aguacate	on	on	on	on	on	oj	oj
Föhre	taj che	taj te	taj	taj	taj	tzaj	choj
Löwe	coj	choj	choj	choj	balam	balam	coj, balam
Hund	pek	tz'i	tz'i	tzii	chi	chia	tz'i
Zopilote	ch'om	as	usöj	usej	usmj	lox	c'uch
Schlange	can	chan	chan	chan	labaj	can	cumutz
Fisch	cay	chay	chay	chay	cay	cay	car
Reh	queh	chij	chej	chej	tzaj che	quyej	quyej.

Was die territoriale Verbreitung der fraglichen Sprachen anbelangt, so ist die ausgedehnteste derselben die Mame[1], welche nicht nur in den guatemaltekischen Departementen San Márcos und Huehuetenango, mit Ausnahme der von der Chuje, Jacalteca und Solomeca eingenommenen Gebiete, gesprochen wird, sondern sich selbst nach Soconusco und Chiapas hinüberzieht. Die hauptsächlichsten Ortschaften, in welchen heutzutage noch Mame gesprochen wird, sind:

In Guatemala: San Márcos, Ostuncalco, Santa Lucia, Malacatan, Tejutla, Tacaná, Huehuetenango, Chiantla, Cuilco, San Pedro Nectá, Amelco, Sibinal, sowie die zwischen den genannten gelegenen kleinern Dörfer.

In Soconusco: Tapachula.

So mangelhaft in mancher Beziehung auch die von Pimentel excerpirte Grammatik des Reynoso ist, so genügte sie doch, um die nahe Verwandtschaft der Mame mit dem in dieser Arbeit eingehender behandelten Ixil darzuthun. Ob die Sprache von Aguacatan, welche der Mame noch näher als das Ixil zu stehen scheint, nicht lediglich eine Mundart des erstern sei, wage ich bis auf weiteres nicht zu entscheiden. Es wird ja überhaupt bei einigen Sprachen der Maya-Familie stets bis auf einen gewissen Grad willkürlich bleiben, ob man sie als Dialekte anderer betrachten oder ihnen die Dignität selbständiger Sprachen wahren will. Nur so viel muss gesagt werden, dass die blose lexikalische Beurtheilung hierfür nicht ausreicht, denn bei der Zusammenstellung der gewöhnlichsten Begriffe zeigen fast sämmtliche dieser Sprachen eine Ueber-

---

[1] Man hat mit Unrecht den Stammnamen der Mames von *mem*, „der Sprachlose, Stumme", ableiten wollen. Er rührt vielmehr von *mam*, „der Aelteste", her. Dies geht erstlich daraus hervor, dass niemand dortlands von einer „lengua Mem" spricht, während der Name der „lengua Mame" allgemein bekannt ist; und ferner aus dem aztekischen Namen der Hauptstadt der Mames, Huehuetenango, welches nichts anderes bedeutet als: Stadt der Aeltesten, d. h. der Mames.

einstimmung, welche beim weitern Eindringen in ihren Bau stark reducirt wird.

Die *Aguacateca*, die sich unter diesem Namen blos bei Juarros[1] ohne weitern Commentar erwähnt findet, ist auf das Doppeldorf Chalchitan-Aguacatan im guatemaltekischen Departement Huehuetenango beschränkt. Des sonderbaren Umstandes, dass ich von dieser Sprache zwei total voneinander abweichende Vocabularien erhielt, ist an anderer Stelle[2] Erwähnung geschehen. Bis erneute Untersuchung das Dilemma hebt, betrachte ich mein an Ort und Stelle aufgenommenes Vocabular als die wirkliche Sprache von Aguacatan, das mir in Antigua von einer aus Aguacatan gebürtigen Mischlingsfrau gegebene dagegen als zweifelhaft.

Die Sprache von *Jacaltenango* erstreckt sich, nach Herrn Rockstroh's Mittheilung, über die Municipalitätsbezirke von Jacaltenango, San Andres und den südlichen Theil von Nenton.

Die *Chujes* bewohnen den nördlichen Theil des Bezirks von Nenton (Chajulá und Atzantic der Au'schen Karte) und das Gebiet von San Sebastion östlich von Nenton.

Im Osten, vom Gebiet der Chujes und Jacaltecos bis zum Rio Chixoy, bleibt noch eine kleine Region übrig, welche der noch unbekannten Sprache von *Soloma* und *Ixtatan* anheimfällt. Von ihr weiss man einstweilen nur, dass sie von den genannten sowie vom Chañabal verschieden ist. Immerhin dürfte sie sich als diesen nahe verwandt herausstellen.

Mit Ausnahme der Mam-Colonie von Tapachula und der wenigen Dörfchen dieser Zunge, welche sich am Nordwestabhang der guatemaltekischen Küsten-Cordillere finden, sind also die genannten Stämme sämmtlich Hochlandvölker, von denen, wie mir Rockstroh schreibt, die *Chujes* die uncultivirtesten aller in Guatemala wohnenden Indianer sind. Dagegen

---

[1] *Juarros*, Compendio de la historia de la ciudad de Guatemala (Guatemala 1857), II, 35.
[2] Vgl. Zur Ethnographie der Republik von Guatemala (1883), S. 166.

besass das alte Reich der Mames, dessen Geschichte bei der Monographie dieses Stammes folgen wird, eine Cultur, welche wol kaum hinter derjenigen der Quichés und Cakchiqueles zurückstand, wenn auch die Geschichte uns weniger davon überliefert hat.

Vergleichendes Vocabular der Mame-, Aguacateca-, Jacalteca- und Chuje-Sprache.

1) Geschlechts- und Verwandtschaftsbezeichnungen.

	AGUACA-TECA.[1]	MAME.	JACALTECA.	CHUJE.
Mann	yaje	xiroc	ruinaj	ruinak
Frau	xnan	xuj	ix	ruixtil
Vater	ta	mam	mamam	pale (padre)
Mutter	chu	chu	mian	nun
Grossvater	mam	chinam	mam ich	mam icham
Grossmutter	chu	chu uix	miixnam	nun chichin
Gatte	chuil	chimil	chamil	chmil
Gattin	?	xujil	xal	stil
Sohn	al xic	quyajol	c'ajol	unin (niño?)
Tochter	al xun	mial	c'utzin	isil
Aelterer Bruder	tzic	tzic	} ixtaj	} uktak
Jüngerer Bruder	itzene	itzinja		
Schwester	?	?	ana	anab
Enkel, Enkelin	?	chmaa	?	?
Oheim	?	iquian	?	?

[1] Den obigen noch beizufügen sind für die Aguacateca: hi, Schwiegersohn, hulib, Schwiegertochter, baluc, Schwager, auh, Herr, ajbetzom, der Trommelschläger, ajxu, der Flötenbläser, ajk'e, der Wahrsager, ajchemol, der Weber, ajtxib, Schreiber, banol pop, Mattenflechter, banol truiba, Strohhutfabrikant, banol chicba, Tuchmacher, banol xab, Sandalenmacher, chajol xuuo'k, Wäscherin, c'amol cay, Fischer, banol tz'um, Gerber, ekom cjtz, Lastträger.

2) Bezeichnungen der Körpertheile und Secrete.

	AGUACATECA.[1]	MAME.	JACALTECA.	CHUJE.
Körper	euangkil	chyeja	?	?
Kopf	euib	eui	eui	?
Auge	euitz	euitz	aensat	josat
Augenbraue und Wimpern . . .	xi, xivi	xil	?	?
Nase	hu	chu	cham	ñi
Ohr	xchin	chquin	chiqnin	chiqnin
Mund	tzi	tzi	ti	ti
Zunge	a'k	a'k	a (a'k?)	ak
Schneidezähne .	e	'e	e	e
Backenzähne . .	ca	cu	chabal	?
Hals	kul	kul	nuuk (nuca?)	jaj
Stirn, Gesicht . .	pla	bak euitz	bolau	?
Bart	xmatzi	xmac tzil	xil(in)ti	?
Haar	xil(ka)euib.	xil(ing)eui	?	?
Haut	cul	?	?	?
Knochen	buk	bak	baj	baak
Nacken.	t-c ka-cul	?	?	?
Frauenbrust . .	im	im	im	?
Arm, Hand . . .	k'ab	k'ab	k'ab	k'a si
Finger	eui (ka) k'ab	eui k'ab	ximal	junek(i)k'ab
Daumen	nim (ka) k'ab	?	?	?
Bauch	cul	cuj (cul?)	cul	l'ojol
Nabel	mux	?	?	?
Hinterer	cux	?	?	?
Penis	bak ya	bak	bak	?

[1] Aguacateca: xe(ka)rchin, Schläfe, d. h. Wurzel unsers Ohres, tzul(k)e, Wirbelsäule, xche'k(ka)k'ab, Elnbogen, kul(ka)k'ab, Handgelenk, (t)itz'in(ka)k'ab, kleiner Finger, d. h. kleiner Bruder meiner Hand, eui-(ka)che'k, Knie, euitz(k)ukan, Schienbein, xcho(k)ukan, Wade, xchu-s-(k) ukan, Ferse, (t)ul(k)ukan, Fusssohle.

Bezeichnungen von Krankheiten: yabil, Krankheit, ch'on, Schmerz, ch'on nu-eui, ich habe Kopfschmerz, tz-ul euitz in quiach, ich habe Durchfall bekommen, sak tzam, Weisse Ruhr, chich euitz iu quiach, Rothe Ruhr, tz-ul in xar, ich habe Erbrechen bekommen, ai ojou srue, ich habe Husten, tz-ul l'a'k srue, ich habe Fieber bekommen, ch'on nu-euitz, die Augen schmerzen mich, slub(k)ukan, Schwellung der Füsse.

	AGUACATECA.	MAMK.	JACALTECA.	CHUJE.
Weibliche Ge- schlechtetheile	*xchap xna*	?	?	?
Bein	*max*	*cux*	*pul*	*xup*
Fuss	*ukan*	*kan*	*oj*	*ak*
Nagel	*pac*	*quyak*	*iec'aj*	*ech*
Blut	*chich*	*chi'c*	*chiic*	*chiic*
Harn	*qu'is*	?	?	?
Schweiss . . .	*a(ka)cuangkil*	*cheljacuink*	?	?
Excremente . .	*cha*	?	?	?
Speichol	*alt tzi*	?	?	?

3) Bezeichnungen der Wohnung und des Haushaltes.

	AGUACATECA.[1]	MAMK.	JACALTECA.	CHUJE.
Dorf	*tenum*	*tuam*	*conop*	*chon jab*
Marktplatz	*c'aybil*	*(t)oj pach*	?	?
Haus	*cal*	*ja*	*na*	*paat*
Stützpfeiler . . .	*jan cal*	*(t)oj tze*	*oi*	*oi*
Dach	*cuib cal*	*cui ja*	?	?
Wand	*xe cal*	*xe ja*	*itzab*	*nuam*
Balken	*ptsom*	*te ul ja*	*batza*	?
Thür	*tzi cal*	?	?	?
Umzäunung . . .	*cajbil, cobil*	*caining*	*beyap*	*colal*
Bett	*ch'a'ch*	*cuatuc*	*ch'at*	*ch'at*
Hängematte . . .	?	*utz*	*achuan*	*abchan*

---

[1] Aguacateca: *cal chim cuib*, der Rancho, Strohhütte (wörtlich: Haus mit dem Strohdach), *cal xoon cuib*, Haus aus Lehmziegeln, *cuitz ch'o'ch*, Fussboden, *cho*, Wolldecke (Chamarra), *tz'atlon*, der Bogen (zum Schiessen), *(t)cui*, Strohhut, *calbil*, Lendengurt, *cuex*, Beinkleid, *crey*, Jacke, *to'k* (toca) *xnan*, buntes Band der Frauen, *colop xnan*, Frauenhemd, *xoco*, Seil, *chéc*, Stirnband, *akcuil*, Tragriemen, *sut*, Tuch, *k'obetz*, die Trommel, *tub*, kleine Trommel, *su*, Rohrflöte, *xeb*, Kamm, *tziup*, Regenmantel aus Palmblättern (Soyacal), *parau*, der Fächer zum Anblasen des Feuers, *bixt*, der Tanz.

	AGUACATECA.	MAME.	JACALTECA.	CHUJE.
Mahlstein	cä	caa	cab	cha
Handwalze des- selben	k'ab ca	(t)al caa	(tj)cab	k'ab cha
Schüssel	?	quil	xi	ch'en
Krug	tru (tecomate)	?	xalu	xalum
Tinaja	scho'k	xoc	txaja	ch'u
Teller	xcon (comal)	lak	bulato	uk'ap
Korb	moch	chil	moch	xuuc
Bastmatte . . .	pop	pop	pop	pop
Löffel	pac	baak	baak	ocluch
Kürbisschale . . .	pac	che txna	pechan	?
Calebasse . . .	txna	txma	?	?
Feuer	k'a'k	k'aa'k	k'aa(k'aa'k?)	k'aa'k
Brennholz . . .	si	txi	ni	k'a txitx
Kohle	?	chancal	a'k'al	akal
Asche	txa	txaj	tan	k'aan
Rauch	sib	sip	nup	taab
Blasrohr	soplon (v. so- plar)	?	ubal	pnub
Hemd (huipil) . .	cmix (camisa)	?	?	lopil (huipil?)
Weiberrock (ena- guas)	xchic xnan	amj	chan	chan
Garn, Faden . . .	quycha	quyajaj	?	sak chi
Ledersandale . . .	xahab	?	xanga	xanab
Holztrog (canoa) .	?	?	jucu	jatu
Angel	?	?	lujbal	lucub
Pfeil	mes	?	trite	?
Tragnetz	c'ach	?	?	?

4) Nahrungsmittel, Nutzpflanzen, Pflanzentheile.

	AGUACA-TECA.[1]	MAME.	JACALTECA.	CHUJE.
Mais in Körnern . .	*ixin*	*ixim*	*ixim*	*ixim*
Maiskolben	*hal*	*jal*	*gnal*	*gnal*
Maishülle (tusa) . .	*xo'k te hal*	*baa*	*(j)achben*	*auc*
Axe des Fruchtkolbens (corazon de la mazorca)	*bajlak*	?	*(j)anma ixim*	*bakal*
Elote (unreifer Mais)	*xeba*	*iij*	*ajam*	*ajam*
Tortilla	*rua*	*chorue*	*rua*	*ruail*
Totoposte	?	*xwotz*	*euocoz*	*caxox*
Atole	*sak a*	*oo'ch*	*culul*	*ixim*
Chile	*i'ch?*	*i'c*	*ich*	*ich*
Frijol	*chicun*	*quyenk*	*(j)ubal*	*tut*
Tomate	?	*xcoya*	*ixpix*	*ixpix*
Achiote	?	*oox*	*(j)ox*	*oox*
Aguardiente	?	*que*	*ju que*	*an*
Baumwolle	?	*nooc*	*teno*	*piitz*
Tabak	*ni'ch*	*nii'c*	*nii'c*	*nii'c*
Camote	?	*iis*	*on*	*on*
Aguacate.	*oj*	*oj*	?	?
Piña.	?	*chuba*	?	?
Zapote	?	*chul*	*chulul*	*chite (?)*
Anone	*chnx*	*churix*	?	?
Maisfeld (milpa) . .	*coon*	*joo*	*avual*	*avual*
Baum	*tze*	*tze*	*te*	*inup*
Holz	*ptsou*	*potzo*	*te*	
Blatt	*xak tze*	*xaak*	*xaj*	*smosal*
Frucht	*leba*	?	*saat*	*xooch*
Blume	*buch*	*uboch*	*(j)amak*	*(s)nichte*
Dorn	*chix*	*tzaj (?)*	*chix*	*qu'tix*
Ruthe, Liane	*a'k*	*aak*	*ak*	*chan*
Föhre	*tza*	*tzaj*	*taj*	*taj*
Gras, Stroh	*chim*	*k'ul*	*telaj*	*yan(j)chej*

---

[1] Aguacateca: *pizom*, Zuckerrohr (auch Balken), *k'inum*, Jocote (Spondias), *ahatze*, Matasano (ein Fruchtbaum), *chux*, Anone (Cherimolia), *chi*, Scheibencactus (Opuntia), *ch'uma*, Huisquil (Cucurbitacee), *tza*, Kienspan.

5) Thiere, Theile des Thieres, thierische Nahrungsmittel.

	AGUACA-TECA. [1]	MAMB.	JACALTECA.	CHUJE.
Puma	balam	balam	balam	choj
Katze	mitu	tuix	uix	mistun
Schwein	boch	cuch(cochc?)	chitam	chitam
Wildschwein . .	xtsela boch	xboch	helujil chi- tam	c'ultquil chi- tam
Reh	masat	quyej	tzaj che	c'ultquil chej
Rüsselbär	xiul	tzutz	tz'u'tz	tz'u'tz
Gürtelthier . . .	iboy	iboy	i'p	ibach
Hund	chi	chia	chi	tzii
Tepescuinte . . .	?	alau	(j)alau	alau
Maus	i'chi	ich	chou	choou
Fledermaus . . .	so'tz	sootz	sootz	sootz
Affe	c'oy	xmay	max	chabin
Vogel	slug	pich	chi'c	usej
Zopilote	kus	lox	usuij	usej
Hahn	ajtzo	?	icham	ajtzo
Henne	xchu quich	?	chioj	snun caxtilau
Papagei (loro) . .	chel	?	?	piquich
Taube	slug	?	cha	pumul
Truthahn (Hahn).	mam kol	etjo ech	tunuc	acach
» (Henne)	xchu ben	?	?	?
Eidechse . . .	mina	smach	?	?
Schildkröte . . .	?	petzin	auk (?)	oncoi
Schlange	luba	can	labaj	chan
Kröte	vuo	xcho	poncon	vuo
Fisch	cay	cay	cay	chay
Krebs (camarron)	tsoloj pich	?	vuayap	?

[1] Aguacateca: xchu boch, weibliches Schwein, (t)al cuy boch, Ferkel (wörtlich: kleines Kind des Schweins), xchu chi, Hündin, xtux quich, Küchlein, colob, Ei, choc, Sanate (Quiscalus macrourus), tr'unun, Colibri, quilquich, Bussard, qu'ejmum, Eule, soc chuc, Vogelnest, stzi slug, Schnabel, xig, Flügel, xpit a'k, Waschbär, cuc, Eichhörnchen, xo, Coyote, uuul, Hase, ajau, Beutelratte (Tacuacin), sa'c, Heuschrecke, chcau, Blatt-schneiderameise (Atta fervens), mul chcan, Ameisennest, ch'uj, Wespe, quiak, Wachs, cab, Honig, Zucker, mex us, Mosquito, chap, Krabbe, xina, Skorpion (auch Eidechse?), qu'iak, Floh, cay cocho'k, frischer Fisch, cay atz'amen, gesalzener Fisch, ske cay, trockener Fisch.

	AGUACA-TECA.	MAME.	JACALTECA.	CHUJE.
Küchenschabe ..	?	xtjil	mococo	pech
Fliege, Mosquito .	us	us	us	us
Schmetterling ..	slub	ba'k'al	nam	nam nam
Ameise	snic	sni'c	nam'c	sanich
Sandfloh	?	sjuich	k'aj	k'a'k
Laus	c'ux	scnc	u'k	lasch
Zecke	?	sip	sip	sip
Raupe, Wurm (gusano)	snlu	xchoc	tojoy	iaxjay
Fleisch	chiba	chipj	?	chipej
Leder, Haut . .	tzuu	pi'c	tzuun	tzuun
Schweif	he	je	ntj	snieno
Feder	?	chipich	xil	xiil much

6) Die Erde, ihre Theile und Producte.

	AGUACATECA. [1]	MAME.	JACALTECA.	CHUJE.
Erde	choch	ch'och	choch	luum
Stein	cup	ahj	ch'en	qu'een
Sand	pokia	tzajo	icap	pococ
Koth	xk'ol	?	ts'otzeo	iquich
Hochthal (llano)	?	?	ac'al	?
See	tzi pil a (pila?)	?	paam	paam
Fluss.	tzi a, hul (Bach)	jol (Bach)	?	?
Brunnen	tzi pil a (pila?)	sooch	oc chen	oc och
Berg	rui juutz	rutje	ruich	ruits
Barranca	tsiruan	xac	tsneu	k'acab
Höhle	jul	jul	gna chen	xaab
Weg	be	be	bee	bee
Brücke	ka	c'a ja	ich ca ja	c'au
Wasser.	a	au	ja	aa
Gold	puok k'an ruits	?	?	?
Silber	puok	?	?	?
Eisen	ch'i'ch	?	?	?
Kalk	chun	chun	choj	taan
Salz	atzn	atza, atzam	atzam	atzam

[1] Aguacateca: cojbil, Wald, lak ruitz, Hochwald, (t)ul chkajlu, Hochthal, (t)ul hocl, Fels. (t)ul tza ruitz, heisse Quelle, tzal tziruan, Wand

7) Himmelskörper, Zeitbestimmungen, meteorologische Bezeichnungen.

	AGUACA-TECA. [1]	MAME.	JACALTECA.	CHUJE.
Himmel . . .	quya	quyaj	can	sachaan
Sonne	k'e	k'ij	tza iik	k'u
Mond	xau	qu'ya	xajau	uj
Stern	ch'umil	cheu	chunel	k'anal
Jahr	jun yeb	abqui	jabil	bi
Monat	jun xau	jun qu'ya	xajau	jun uj
Tag	jun k'e	jun k'ij	tsa iik	jun k'u
Nacht	a'kbal	akbil	a'kbal	akual
Regenzeit . .	?	kpalij	knabil	knabl kinal (?)
Trockenzeit. .	?	to kijal je	?	?
Regen	habal	muj	knabil	asun
Hagel	cub (Stein)	tzoc pako	saj bat	sacbat
Donner. . . .	k'an quiok (Blitz)	tzun cajti	k'u	asun, taa
Erdbeben. . .	cablanab	najnap	chixcaab	quixcaab
Wolke	sba'k	muj	asun	asun, taa
Wind	quik'e'k	quyi'k	cae	ee
heute, jetzt . .	halu	jalou	tinan	?
gestern. . . .	eutentz	eui	eui	?
morgen. . . .	e'klen	nchij	jekal	?
vorher	?	?	paixaj	?
nachher . . .	?	ntjanel	tzujanxa	?
wann.	?	koje	bajin	?

der Barranca, *nka-cu-nak*, wir steigen hinab, *nka-he-nak*, wir steigen hinauf, *chax cub*, Obsidian (grüner Stein).

[1] Aguacateca: *tz-ul habal*, der Regen kommt, *tz-ul k'an quiok*, das Gewitter kommt, *tz-ul cub*, es hagelt (es kommen Steine), *sa oc a'kbal*, die Nacht bricht schon herein, *cha k'e*, Mittag, *sa cu k'e*, es ist schon spät (schon sank die Sonne), *ni'e a'kbal*, Mitternacht, *caben*, übermorgen, *halchan*, frühe, *xchalchan*, sehr frühe.

8) Farbenbezeichnungen, Eigenschaften.

	AGUACATECA.[1]	MAME.	JACALTECA.
weiss	sak	sak	saj
schwarz	k'c'k	k'c'k	k'ej
roth	quyek	chyak	caj
gelb	k'an	kan	k'an
grün und blau . . .	chax	chax	yax
heiss	tza	chac	kaj, kac
kalt	cheu	cheu	cheu
gut	ban	ba, ban	k'ul (?)
gross	nim	nim	nim ejal
klein	chal	ncek	gnianchan
krank	ch'on	jaab (yaab?)	yaaya
alt	?	(t)iij	icham
jung	ac'a	necx	tze
reich	?	quinong	k'alom
arm	meba	iaj	meba
hart	tzantzuj	kaj	gax
blind	?	moy	tz'op
stumm	?	meng	suc
hoch, lang	nim (t)jan	cneku	gni mejalstel
niedrig, kurz . . .	cuy ruitz	kubx	gni anchanstel

[1] Aguacateca: skil, hell, tzotz, dunkel, munts tzotz, sehr dunkel, munts tza, sehr heiss, tza h-in tau cheu, ich habe kalt, munts tza naj i-nach, ich habe sehr heiss, muntz tz'il, sehr schmuzig, (t)oke, trocken, ac, nass, neix, zart, tu'ch, weich, choom, schwach, al, schwer, sas, leicht, cham, sauer, bitter, chi, süss, qui-chi, hässlich (nicht süss), k'barel, betrunken, yab, verrückt, muntz xchuhil, sehr böse, xia catza, dick, bak, mager, xax, schmächtig, dünn, bisun traurig (sein), na-tzatz-en (t)alma, du bist zufrieden, nim hamel, theuer (gross sein Preis).

9) Bezeichnungen der Quantität und des Ortes.
Bejahung und Verneinung.

	AGUACATECA.[1]	MAME.	JACALTECA.
viel	muntz	baan pong	ch'ial
wenig	noc cun	ore	capchan
nichts	quscl	ntslo (no hay)	sunil _____ .. f(.
allen	quyakil	chaquil	jo .
fern	joilu	lacachi	najat
nahe	naja	caining	caruil .
hier	tzune	tzalu	eti
dort	tzen	?	petu
wo	na	jaa	paitu
wie viel . . .	hatna	kaap	chupil
dieser	?	jalu	junti
jener	?	julu	junajtu
ja	cu ban cu (gewiss)	jo	machoj
nein	?	nlai	?

[1] Aguacateca: *juu-suuh-it*, auf einmal, *jun e-yal*, auf einmal, *la'kel*, schnell, *lexac*, warum? *nat-it?* wo ist er? *na-n ben-et?* wohin ist er geflohen? *na x-nen-t?* wohin gehst du? *t-os-na xi-ul-te?* wann kommst du wieder? *hal-en t-al*, was habe ich dir gesagt? *hal-n-cun*, gerade jetzt, *hatna tzinch'o?* wie viel kostet es? *hatna chixone nehi-ben?* wie viele geben? *x-jon-tza*, komm hierher! *niquiank a-ban*, thue es in die Mitte, *ca-ul-en tsin*, gehe dort hinaus, *ca-ogu-en tza*, komm hier herein, *tzen t-cal*, dort im Hause, *t-iba*, auf, über, *t-s-ha'k*, unter, *t-s-ruitz*, vor, *nakajil*, in der Nähe, neben, *in nakajil*, neben mir, *nakajil ruetz*, neben mir, *nakajil ketz*, neben uns.

10) Zahlwörter.

	AGUACA-TECA.[1]	MAME.	JACALTECA.	CHUJE.
1	jun	jun	june	jun
2	cab	caabe	caab	chanb
3	ox	ox	oxuan	oxe
4	quyaj	chyaj	canek	chaugue
5	o	jue	joueb	joe
6	ukak	kak	cuajeb	cuaque
7	ouuk	ouuk	jujeb	ukc
8	cuajxuk	ruujxak	cuaxajeb	cuaxke
9	belu	beljoj	baluneb	cuangue
10	laju	lajoj	lajuneb	lajne
11	junla	junlajoj	jun lajuneb	uxlche (?)
12	cabla	cablajoj	cablajuneb	lajchue
13	oxla	oxlajoj	oxlajuneb	uxlajne
14	quyajla	chyajlojoj	caulajuueb	chanlajne
15	ola	olajoj	jolajuneb	jalajne
16	cuakla	cuaklajoj	cuajlajuneb	cuaklajne
17	rukla	ruklajoj	jujlajuneb	uklajne
18	cuajxakla	cuajxaklajoj	cuajaxlajuneb	cuaxlajne
19	belela	belejlajoj	balunlajuneb	banlajne
20	junak	ruinqui	jun c'al	jun c'ol
21	junak jun	cuinqui jun	jun-es-cacuinaj	?
22	junak cab	cuinqu-iqui-caabe	?	?
23	junak ox	cuinqu-iqui-ox	?	?
30	?	cuinlaklajoj	lajun-s-cavuinaj	?
40	caunak	caunak	cacuinaj	chacuinal
50	?	caunak t-iqui-lajoj	?	?
60	ox-c'al	ox-c'al	ox-c'al	joizvuinak (?)
70	?	ox-c'al t-iqui-lajoj	?	?
80	jun-uu'ch	ju-uu'ch	?	?
90	?	ju-mu'ch t-iqui-lujoj	?	?
100	?		jo-c'al	?

[1] Agacateca: jun-uuh, einmal, ca-uuh, zweimal, jun-it yol, ein Wart, jun-chop, eine Hand voll, jun-tzuj, ein Tropfen, jun-ch'ana, eine Kugel, jun k'al-si, ein Arm voll Brennholz, jun-boco-ch'im, ein Arm voll Gras, jun-cui si'ch, eine (einzelne) Tabakstaude, jun-trum, oin Hieb, jun-c'al, eine Klafter (brazada), jun-tze nin catza, ein dicker Baum, cab-chol con, zwei Furchen (im Maisfeld), jun-chuco ch'im, zwei Bündel Gras, jun xol (k) ukan, ein Schritt.

NACHTRAG ZUR SPRACHE VON AGUACATAN.

Im Folgenden stelle ich noch dasjenige zusammen, was
mir aus meinen Notizen über die Aguacateca als zweifellos
sicher erscheint.

Pronomen possessivum (mit *cal*, Haus).

in-cal vu-etz, mein Haus.
i-a-cal avu-etz, dein Haus.
i-cal t-etz   u. s. w.
ka-cal k-etz
t-em-vu-etz n-cal [1]
i-cal t-etz.

Sätze und Verbalformen.

ua-tz qui-etz jun-ya-atz, wer sind diese Männer?
un-chuel ch-i-nen, ich gehe allein.
a-chuel x-nen, gehe du allein!
at in t-in-cal, ich bin in meinem Hause.
at pe u t-cal-u, er ist in seinem Hause.
ch-in-uca-k vu-etz, ich trinke.
uca-en avu-etz, trinke du!
cun-vut-en, gehe schlafen!
ch-in-c'as-u-k vu-etz, ich erwache, wörtlich: ich werde lebendig.
in ch-in-ben tau icsen, ich gehe pissen.
in ch-in-ben tau chan, ich gehe zu Stuhl.
nah-el-in-chum-t-etz, ich verstehe.
ch-in-bitz-in-k vu-etz, ich singe.
bitz-ink teru, er singt.
in ch-in-jil-on, ich rede.
ch-in-o'k-o-k vu-etz, ich weine.
quic x-o'k, weine nicht!

---

[1] *sa cu t-em-vu-etz n-cal a'k-bal*, schon stürzte euer Haus ein gestern
nachts.

10*

ch-in-xchin-k, ich rufe, schreie.

quie xchin, rufe nicht!

el'k ta ai n-tzub, ich spreche.

el'k-o xeu, ich hole Athem.

ch-in-je-'k puk, ich erbreche.

tzoj-in-xu-etz tau oj-on, ich huste.

ch-in-xcxu-an-k, ich blase.

quie xcvu-an, blase nicht, athme nicht.

ch-in-si'ch-in-k xu-etz, ich rauche.

ch-in-lo-on-k xu-etz, ich sauge (Früchte) aus.

ch-in-xub-an-k, ich pfeife.

ch-in-chuch-xx-k, ich sauge (an der Brust).

ch-in-chub-cu-k t-e un-xua, ich kaue (Tortillas).

na-chyon-t-s-xu-c, er beisst mich.

in-jo-te-xu-c, ich kratze mich.

ch-in-xeb-an-k, ich kämme mich.

ch-in-ch'aj-on-k, ich bade, wasche mich.

x-uca-he jun-chuba, ich trinke einen Schluck.

ch-in-ben tau xon, ich will geben.

in ch-in-ben lajk'-el, ich gehe eilends.

lajk'-el x-ben, gehe schnell!

ch-in-k'ax-in-k, ich hüpfe.

in ch'in-ben t-ul jun-in-be, ich reise, gehe unterwegs.

ch-in-kal-an-k, ich bücke mich.

x-kal-an-k, bücke dich!

ch-in-c'ol-e-k, ich setze mich.

sa ch-in-c'ol-c, ich habe mich schon gesetzt.

c'ol-ch-in-cun, setze dich!

in ch-in-chquye-k-en, ich erhebe mich.

chic-lch-en, erhebe dich!

ixu-aha ch-in-xuit, ich will schlafen.

xut-cu, gehe schlafen.

sa ictimpu, ich bin gefallen.

qui m-ictimpu, falle nicht!

sa oc ukan t-etz-e, ich stolpere.

a'k-en a-tzi t-quya, lege dich mit dem Gesicht nach oben!

a'k-en a-vuitz vuitz ch'o'ch, lege dich mit dem Gesicht auf die (wörtlich: das Antlitz der) Erde!

in ch-in-ben tau ch'aj-on, ich gehe baden.

ka ichin-k tzi a, wir baden uns.

ch-in-biz-in-k, ich tanze.

ch-in-meh-e-k, ich knie nieder.

itz-in, ich lebe.

itz-pe t-etz, er lebt.

sa itzi t-al ne, schon lebt das Kind.

sa ch'iy, er ist schon gross.

noclo ch-in-quim-vu-etz, ich werde bald sterben.

sa quim, er ist schon todt.

at x-buok (xvu-ok?), ich habe Kleider.

d'k a-cxey, kleide dich aus!

at in-puok, ich habe Geld.

at puok tz-u-vuitz, er hat Geld.

in-ch-in-lo'k-on-t-etz, ich kaufe.

i-lo'k-on-t-etz, er kauft.

tz-in-c'ay-e, ich verkaufe.

sa-ch-in-cotz-in, ich schenkte schon.

in ch-in-cham-on-t-etz, ich sammle.

ch-in-hachon-k t-etz, ich breche die Maiskolben ab.

ch-in-al'k-an-k, ich stehle.

ch-in-ban-e ala'k, ich stehle (thue den Diebstahl).

in c'ox-el-en, ich werfe weg.

cun-c'ox-tzen, wirf es dorthin!

tz-in-hak-e, ich öffne.

sa-hak-x, es ist schon offen.

hak-en, öffne!

in hop-e, ich schliesse.

hop-i, es ist geschlossen.

hop cun, schliesse!

in-ch-in-avua-n-k t-etz, ich säe.

in-ch-in-bu'k-un, ich reisse aus.

bu'k-en tza, reisse es aus!

tz-in-chaj-e, ich reinige.

ch-in-tzut-e, ich schneide ab.

n-tzut-e, schneide ab!

ch-in-ume-k t-u jun xuan, ich heirathe eine Frau.

sa ume, verheirathet. *xnan sa ume*, eine verheirathete Frau.

tz-in-biy-e jun junak, ich tödte einen Menschen.

biy-cun, tödte ihn!

ch-in-xot-e, ich steche.

tz-in-buh-e, ich schlage.

in-ch-in-ben tau uban, ich gehe mit dem Blasrohr schiessen.

sa tz'a-ax, es ist heiss (geworden).

sa tze, es ist schon verbrannt.

n-tza-sa k'a'k, lösche das Feuer aus!

sa tzaj-s, es ist schon ausgelöscht.

in-chi-mu'k-un-t-etz vu-o'k, ich mache mein Kleid nass.

in ch-in-chen-t-etz nu-vua, ich mahle meine Tortilla.

sa in-che ixin, ich habe schon Mais gemahlen.

in-kin-sa, ich ziehe.

kin-n-in-noct, ziehe mir ein wenig.

pit-n-in, stosse mir!

pit tza noct, stosse dort ein wenig!

in-ch-in-c'al-on-t-etz oder *in c'ale*, ich binde an.

in-ch-in-puj-un-t-etz, ich binde los.

in-ch-in-bu'k-on-t-etz, ich drehe.

in-n-oc-sa-n tz'il-t-e, ich habe mich schmuzig gemacht.

sa oc tz'-il-t-e, es ist schmuzig geworden (es ist Schmuz hinein-
gekommen.

in-ch-in-pax-in-t-etz, ich breche.

in-n-evua-n-t-etz, ich verberge.

tzi-mas-e tzis, ich kehre den Unrath aus.

in-ch-in-mas-on-t-etz, ich kehre aus.

ch-in-he-k vuitz quya, ich steige hinauf.

ch-in-cu-k tza, ich steige (hierher) herab.

in-ch-in-ban-on-t-etz, ich mache.

sa bni-x (für *bau-ix*), es ist schon gethan.

in-ch-in-mun-t-etz, ich wechsle meine Kleider.

na-vu-al-ni-n, ich sage.

sa ni-x, es ist schon gesagt.

cin-col-e t-be, ich warte ihm auf dem Wege.

n-opon, ich komme an.

sa opon, schon angekommen.

n-ol kalub, ich komme heute zurück.

in ch-in-xe-t-sa-n-cun, ich fange an.

sa cun xe-t-sa-l, er hat schon angefangen.

in-ch-in-vui-t-sa-n-t-etz, ich mache fertig.

in-ch-in-ojl-an-t-etz, ich zähle.

in-n-iquyan-in-t-etz, ich bringe, trage.

in-ch-in-tz'is-on-t-ctz, ich nähe.

in-ch-in-mu'k-un-t-etz, ich begrabe.

in-pax-e, ich vertheile.

in-pak-e vuitz, ich falte, lege zusammen.

in-ch-in-tz'ib-an-k, ich schreibe.

in-ch-in-c'am-on-t-etz, ich leihe.

sa mal-i, es ist schon gewogen.

in-ch-in-mal-an-t-ctz, ich wäge, messe.

in-ch-in-choj-on-t-etz, ich zahle.

in-ch-in-caloj-en-t-etz vuitz quya, ich hänge es dort hinauf.

in-ch-in n-ak'u-k t-e, ich arbeite.

in-hak-on-in t-ctz, ich frage.

qui-t-ch-in cab na-e, ich schweige.

qui x-cab-n-e, schweige du!

in-n-ach-en-k-ban, ich betrinke mich.

in-ni-choj-e, ich lehre.

in-chi-on-oc t-cal, ich trete ins Haus.

sa pe oc, er ist schon hineingegangen.

n-el-k t-e cal, ich trete aus dem Haus.

in-ch-in-xque-k ti-be, ich gleite auf dem Wege aus.

ch-in-sak-chuk, ich spiele.

in-s-tz-o'k-s-uvuan, ich spiele die Flöte.

tz-ul a t-s-vu-c, ich schwitze (das Wasser kommt mir heraus).

In den oben zusammengestellten Verbalformen lassen sich mit Leichtigkeit einige der ausführlich beim Ixil behandelten Elemente wiedererkennen. Die Mehrzahl der Verbalwurzeln ist auch in identischer oder wenig abweichender Form im Ixil vorhanden und daher in vorstehend gegebenem Wortverzeichniss der letztern Sprache enthalten.

Einige andere Elemente stimmen dagegen mehr mit dem Mame, wie sie in Reynoso's Bearbeitung vorliegt, überein, vor allem das Verbalpräfix *ch-in*, welches dem *qu-in* des Pokonchi entspricht.

Andere Bestandtheile dagegen, wie die Partikeln *pe* und *sa*, ferner das *k*-Suffix des Indicativs und das Passivum auf *x* können erst ihre Erledigung finden, wenn noch einige andere Maya-Sprachen, besonders das Cakchiquel und die Pokonchi-Sprachen, analytisch bearbeitet sein werden. Binnen Jahresfrist hoffe ich wenigstens eine von diesen Sprachen den Amerikanisten vorlegen zu können.

Ein Vergleich des vorliegenden Sprachstoffes aus Aguacatan mit der Mame-Grammatik des Reynoso lässt die nahe Verwandtschaft beider Idiome unschwer erkennen. Ein genaueres Eintreten auf Einzelheiten mag verspart bleiben, bis es mir gelungen ist, das Mame-Gebiet nochmals zu bereisen und das einschlägige Material zu sammeln.

ZUSÄTZE ZUR GRAMMATIK DER IXIL-SPRACHE.

Bei nochmaliger Durchsicht der Ixil-Grammatik schienen mir noch folgende erläuternde Zusätze wünschenswerth.

Zu Seite 33. *ibaj*.

Die Form *ib-aj* (*ib-a* im Ixil) ist kein primitiver Stamm, sondern bereits ein Derivat vom Stamme *ib* mit dem Collectiv-Suffix *aj*, das im Ixil auch in Verbindung mit Bezeichnungen anderer Körpertheile auftritt; z. B. *vui-aj*, die Finger, *vuntz-aj*, die Fläche.

Mit dem einfachen Radical *ib* sind noch folgende Ausdrücke zu vereinigen:

1) Die Ausdrücke für „Kopf", „Spitze", „Finger" in den Mame-Sprachen (*vu-i* [Ixil und Mame], *vu-ib* [Aguacateca]).

2) Die Pron. reflex. der Mame-, Quiché- und Pokonchi-Sprachen (*-ib, -i*).

3) Das suffigirte Pron. person. 3. Pers. Sing. und Plur. im Ixil (*-i*).

4) Das mit dem Pron. possess. verbundene Pron. demonstr. des Cakchiquel und Quiché (*r-i*).

Auf die derivirte Form *ib-aj* ist das Nomen *ba* der Uspanteca, welches „Kopf" bedeutet, und das Pron. reflex. der Maya zurückzuführen. Ob, wie im Texte angenommen, auch die Form *ij* des Cakchiquel als synkopirtes *ib-aj* aufzufassen sei, wofür allerdings der Parallelismus mit einfachem *i* (S. 32) spricht, bleibt noch zu entscheiden.

Zu Seite 38, *etz*.

Einen ähnlichen Polymorphismus, wie *ib*, zeigt das Radical *etz* des Ixil. Ihm sind, unter Berücksichtigung der Lautsubstitution, zuzurechnen:

1) Die Formen ru-atz (Mame-Sprachen), ru-ach (Quiché-
und Pokonchi-Sprachen), ich und u-ich (Maya von Yucatan)
für „Gesicht", „Aussenseite", „Oberfläche".

2) Die Formen etz und atz (Mame-Sprachen), cch (Quiché-
und Pokonchi-Sprachen), ich-in (Cakchiquel), iz-in (Tz'utuhil) in
ihren synthetischen Verbindungen mit den Pron. possess. (S. 40).

3) Die Form c, welche theils als Parallelform von cch vorkommt (Quekchí, Cakchiquel), theils dieselbe vertritt (Pokonchí).
Im Ixil tritt die Form c sowol als Pron. demonstr., als
auch (neben a) als stellvertretendes Objectssuffix transitiver
Zeitwörter auf.

In andern Sprachen (Quiché-Sprachen, Pokonchí) hilft c
allein oder in Verbindung mit dem Pron. possess. der 3. Pers.
das Pron. demonstr. bilden (a-r-c [Cakchiquel, Quiché], r-c r-c
[Pokonchí], „jener", „jenes").

4 Die Form a, welche als Parallelform von atz aufzufassen ist und im Ixil als Objectssuffix transitiver Participien
neben c sich findet; z. B. oya-l-a und oya-l-e, geschenkt habend.

In den Formen vu-ach (Quiché-Sprachen), u-ich (Maya),
ru-atz (Mame-Sprachen) haben wir allem Anschein nach synthetische Verbindungen des eigentlichen Stammes (ach, atz,
ich) mit dem Pron. possess. 1. Pers. Sing. Ganz analog sind
die Verbindungen ru-i, vu-ib vom Stamme ib gebildet. Man
darf wol annehmen, dass diese Formen sehr alte seien und
aus einer Zeit stammen, wo der Maya-Indianer einen Körpertheil noch nicht anders denn als Theil seines eigenen Körpers aufzufassen vermochte.

Ob auch die Formen ja, „jener", und je, „jene" (Quiché-
Sprachen) hierher gehören, mag einer spätern Untersuchung
vorbehalten bleiben.

Zu Seite 53, vual.

Das Wort aj-au bezeichnet in vielen Maya-Sprachen
„Herr", „Gebieter"; aj-au-al und seine aphäretische Form
vu-al bedeutet also zunächst „das, was dem Herrn gehört",

„das herrschaftliche Gut", „das Herr-liche", und hat dann
von hier aus die Bedentung einer grossen Quantität erlangt.

aj-au, „Herr des au", kann auf verschiedene Weise erklärt werden. Nach Brasseur, der sich auf Ximenez stützt,
bedentet au im Quiché „das Halsband" (collar) und aj-au
wäre also der „Herr des Halsbandes". Diese Auffassung findet
ihre Stütze in den Reliefdarstellungen der Maya-Denkmäler,
wo fürstliche Personen häufig mit anffallenden Halsketten
geschmückt erscheinen.

Indessen ist au in den Mame-, Quiché- und Pokonchí-
Sprachen anch das Radical für die Begriffe „Maisfeld", „Saat",
„säen". Vgl. au-a-n (au-a-n), „säen" (Ixil. Aguacateca),
„Maisstaude" und „Maisfeld" (Cakchiquel), au-ix (Pokomam)
und ab-ix (für au-ix). „Maisfeld" (Quiché, Pokonchí, Uspanteca). — Danach wäre aj-au zunächst der „Herr des culti-
virten Landes", womit sowol im grossen der Fürst, wie in
der Maya von Yucatan und den meisten Guatemala-Sprachen,
als anch im kleinen der Herr des Familienbesitzes, der Familien-
vater, wie im Pokonchí bezeichnet werden kann.

Da cual im Sinne von „viel" in der Aussprache häufig
wie bal lautet, so liegt es nach dem Gesagten gewiss nahe,
anch in dem Ixil-Wort bal, „der Vater", lediglich einen Dimor-
phismus von cual zu sehen, der in letzter Instanz ebenfalls
auf ein verstümmeltes aj-au-al zurückzuführen ist.

Zu Seite 83. Rückzielende Verbalthätigkeit.

Es gibt im Ixil eine kleine Anzahl von Zeitwörtern, welche
ihrer Bedeutung nach zunächst rückzielende sind; z. B. tzun-eb,
„sich verheirathen", xon-eb, „sich setzen", cox-eb, „sich niederlegen", chaqu-eb, „aufstehen, anhalten, sich stellen", und einige
andere. Sie werden gebildet, indem dem nackten Verbalstamm das Pron. reflex. der 2. Pers. Sing. (-eb) suffigirt wird,
welches dann anch für die übrigen Personen beibehalten wird;
z. B. vom Stamme ka-eb, niederknien:

ka-eb-oj-in. ich knie nieder.　　*ka-eb-oj-o*

ka-eb-ax. du kniest nieder.　　*ka-eb-ex*

ka-eb-u oder *ka-eb-i* u. s. w.　　*ka-eb-i*.

Selten erscheint der nackte Stamm *ib* ohne Pron. possess.; z. B. *hik'-ib-in*, „ich ersticke", für *hik'-eb-in*.

Der Vocal von *eb* und *ib* kann aber auch durch Aphäresis verloren gehen, sodass blos *b* übrigbleibt; z. B.:

lav-b-in, ich erhebe mich, für *laqu-eb-in*.

lav-b-ax, du erhebst dich.

lav-b-i　　u. s. w.

lav-b-o

lav-b-ex

lav-b-i.

Dieses rudimentäre Suffix *b* liefert in Verbindung mit den suffigirten Pron. demonstr. *i* und *e* die Formen *-b-i* und *-b-e*, welche im Ixil die Rolle von Passivsuffixen übernehmen, obwol sie, dem Gesagten entsprechend, morphologisch eigentlich reflexivische Verbalformen bilden. So wird vom Stamme *tz'a*, „heiss", ein Passivum *tz'a-b-i* (für *tz'a-ib-i*), „es wird heiss", eigentlich: „es erhitzt sich" gebildet, und von diesem weitere Formen abgeleitet; z. B. *tz'a-b-i-sa*, „machen, dass etwas sich erhitzt oder heiss wird". Von *yatz'-e*, „tödten", wird das Passivum *yatz'-b-i* und *yatz'-b-e* gebildet u. s. w.

Damit ist auch die Analyse des synthetischen Nominalsuffixes *bal (b-al* für *ib-al)* gegeben, welches im Ixil sowie in den Quiché- und Pokonchi-Sprachen das Instrument oder die Person bezeichnet, durch welche die Thätigkeit des Stammwortes ausgeführt wird (vgl. S. 23, 4); z. B. *quis-b-al*, „der Besen", d. h. dasjenige, womit gekehrt wird. Auch das Suffix *b-il* ist auf den Stamm *ib (ib-il)* zurückzuführen.

Auch in der Maya von Yucatan werden mit den Suffixen *b-al* und *b-il* sogenannte „passive" Verbalformen gebildet.

Berichtigungen.

Seite 9, Zeile 13 v. u., streiche: u
» 10, » 3 v. u., streiche: i'ch, der Mond
» 16, » 13 v. u., streiche: k'an, gelb
» 20, » 12 v. u., streiche: oder ij
» 23, » 7 v. o., statt: ak-o-n, lies: ak'-o-n
» 39, » 12 v. u., ist cha einzuklammern
» 55, » 4 v. o., ist hinter cah das Komma zu streichen
10 v. o., st.: paj ul, l.: paj-ul
» 65, » 8 und 18 v. u., st.: k-yiy-y-o, l.: quyi-y-o
» 72, » 17 v. o., st.: in ni-ban-un chi, l.: in ni-ban un-chi
» 74, » 14 v. o., st.: ban', l.: ban
» 79, » 6 v. u., st.: der, l.: das
» 82, » 17 v. u., st.: 2. Pers. Plur., l.: 1. Pers. Plur.
» 93, » 4 v. o., st.: hat sehr stark gelärmt, l.: lärmt sehr stark
» 114, » 6 v. o. (1. Spalte), st.: i'c, l.: i'ch
19 v. u. (2. Spalte), st.: klein sein, Kücken, l.: klein sein
Rücken
» 151, » 5 v. o., st.: cin-col-e, l.: in-col-e
» 152, » 11 v. o., st.: sie, l.: es

DIE

SPRACHE DER IXIL-INDIANER.

EIN BEITRAG

ZUR

ETHNOLOGIE UND LINGUISTIK

DER MAYA-VÖLKER.

NEBST EINEM ANHANG

WORTVERZEICHNISSE AUS DEM NORDWESTLICHEN GUATEMALA.

VON

Dr. MED. OTTO STOLL,

DOCENT DER GEOGRAPHIE AM EIDGEN. POLYTECHNIKUM UND
AN DER UNIVERSITÄT ZÜRICH.

LEIPZIG:

F. A. BROCKHAUS.

1887.

Case   *Shelf*

HARVARD UNIVERSITY

LIBRARY

OF THE

PEABODY MUSEUM OF AMERICAN
ARCHÆOLOGY AND ETHNOLOGY,

GIFT OF

The Author

Received May 5, 1910

171

CPSIA information can be obtained
at www.ICGtesting.com
Printed in the USA
BVHW071159070819
555303BV00006B/857/P